J'AI SURVÉCU AU DÉBARQUEMENT
est le quatre cent soixante-septième livre
publié par Les éditions JCL inc.

Catalogage avant publication de Bibliothèque et Archives nationales du Québec et Bibliothèque et Archives Canada

Nault, Germain

J'ai survécu au débarquement

(Collection Gens du pays)

"Germain Nault, ancien combattant, se raconte".

Comprend des réf. bibliogr.

ISBN 978-2-8931-467-8

1. Nault, Germain. 2. Guerre mondiale, 1939-1945 - Récits personnels canadiens. 3. Normandie, Bataille de, 1944. 4. Canada. Forces armées canadiennes. Régiment de la Chaudière - Histoire. I. Doyon, Martine, 1983- . II. Doyon, Marilou, 1983- . III. Titre. IV. Collection: Collection Gens du pays.

D811.N38 2012   940.54'8171   C2012-942335-1

© **Les éditions JCL inc., 2012**
Édition originale : décembre 2012
Première réimpression : février 2013
Deuxième réimpression : octobre 2014
Troisième réimpression : novembre 2014
Quatrième réimpression : décembre 2014

MARILOU DOYON
MARTINE DOYON

J'AI SURVÉCU
AU DÉBARQUEMENT

Collection
Gens du Pays

Les éditions JCL inc.
930, rue Jacques-Cartier Est, Chicoutimi (Québec) G7H 7K9
Tél. : (418) 696-0536 – Téléc. : (418) 696-3132 – www.jcl.qc.ca
ISBN 978-2-89431-467-8

Cet ouvrage est aussi offert en version numérique.

MARILOU DOYON
MARTINE DOYON

J'AI SURVÉCU
AU DÉBARQUEMENT

Germain Nault, ancien combattant, se raconte

TÉMOIGNAGE

LES ÉDITIONS JCL

Nous reconnaissons l'aide financière du gouvernement du Canada par l'entremise du Fonds du livre du Canada pour nos activités d'édition. Nous bénéficions également du soutien de la SODEC et, enfin, nous tenons à remercier le Conseil des Arts du Canada pour l'aide accordée à notre programme de publication.

Gouvernement du Québec – Programme de crédit d'impôt pour l'édition de livres – Gestion SODEC

À la mémoire de notre grand-oncle Germain,
qui a accepté avec générosité de nous ouvrir son cœur.

Aujourd'hui, fidèles à notre « devoir de mémoire[1] »,
nous rendons hommage à sa vie et
à l'homme merveilleux qu'il a été.

---

1. Dans ce contexte, le devoir de mémoire est une expression utilisée pour parler du devoir moral collectif que nous avons en tant que citoyens de nous souvenir par quelque moyen que ce soit des sacrifices des anciens combattants qui ont écrit l'histoire.

Préface

Ce livre présente une histoire profondément humaine vécue par un homme modeste et sage. Il a choisi de servir son pays volontairement au cours de la Seconde Guerre mondiale. Comme d'autres, il aurait pu tenter par différents moyens de se soustraire aux affres de la guerre. Mais non, il a fait le choix plutôt déstabilisant de vivre – et de subir bien souvent – les souffrances liées à la vie de soldat dans un régiment d'infanterie.

Des hommes en chair et en os ont pris part aux différentes batailles qui ont fait la réputation enviable du Régiment de la Chaudière. Germain Nault figure parmi ces héros. Pour certains, il n'a fait que son devoir de citoyen. Mais, quand on y regarde de près, on constate que son engagement mérite notre reconnaissance profonde. Il a été un des artisans de la paix et de la liberté dont nous profitons aujourd'hui. Nous lui devons beaucoup.

Il fut un temps où on ne parlait guère de ce conflit majeur qui a monopolisé tant d'hommes et de femmes autour de la planète. Certes, de nombreux livres traitent du sujet. Les Américains ont fait l'éloge de leurs héros au grand écran. Mais ici, au Québec, les témoignages sont plutôt rares. C'est comme si une sorte de gêne freinait les acteurs de ce conflit. Depuis quelque temps, cependant, nous remarquons une plus grande propension à parler, à raconter en toute modestie ce qui a été vécu pendant ces dures années de guerre.

Dans les pages qui suivent, vous serez témoins de l'expérience unique vécue par Germain Nault dans les petites choses comme dans les grandes. Vous découvrirez les amitiés qui se tissent au fil des jours à partager un même défi de survie, à affronter la peur, la faim, la soif, l'angoisse, tout en restant fidèles à la mission que partagent les frères d'armes.

Monsieur Nault a vingt ans lorsqu'il s'engage le 29 septembre 1941. Il obtiendra sa libération le 8 février 1946. Après un entraînement de plus en plus exigeant tant au Canada qu'en Europe, il prend part au débarquement en Normandie et à différentes batailles en France, en Belgique, aux Pays-Bas et jusqu'au cœur de l'Allemagne à la fin de la guerre, le 8 mai 1945.

Quelque soixante-dix ans plus tard, deux de ses petites-nièces relèvent le défi de nous livrer le témoignage de leur grand-oncle Germain Nault. Les jumelles Marilou et Martine Doyon, à leur tour, ont fait preuve de courage et de détermination pour mener à bien ce mandat exaltant, mais complexe. Elles ont accompli le travail colossal de réaliser les entrevues, de mener la recherche, de structurer l'information et rédiger les textes. Un long, très long travail nécessitant à chaque étape des choix difficiles et une application soutenue. Mais voilà, c'est fait. Elles nous présentent une histoire palpitante, un récit captivant.

Germain Nault y témoigne de sa généreuse contribution à la construction d'un monde meilleur. De leur côté, Marilou et Martine Doyon ont accompli tout un devoir de mémoire et un très beau travail d'équipe. Elles donnent l'exemple d'une belle solidarité intergénérationnelle.

À nous de savoir l'apprécier.

Gervais Lajoie
Lieutenant-colonel à la retraite
Commandant du Régiment de la Chaudière de 1982 à 1984

Le 24 octobre 2011

Avant-propos

En mai 2008 nous est venue l'idée de réaliser un projet commun. Nous avions constamment en tête le désir d'écrire un livre. Nous entendions parler de l'histoire de notre grand-oncle dans la famille Nault et de la fierté de ses frères, sœurs, neveux et nièces concernant sa participation à la Seconde Guerre mondiale. Nous percevions de plus en plus la nécessité de recueillir ses mémoires de guerre pour que les traces de sa participation subsistent dans l'histoire de la grande famille des Nault de Bromptonville.

Notre grand-oncle avait refusé près d'une dizaine de demandes de personnes intéressées à écrire ses faits d'armes. Nous avons tout de même tenté le coup et, sans hésiter, il a accepté, à notre plus grand bonheur. Le fait que nous faisions partie de sa famille le rassurait quant à l'intégrité des souvenirs qu'il évoquerait. Nous nous sommes donc serré la main en signe d'«enrôlement» et nous avons commencé à élaborer un plan de travail.

À ce moment, nous avons repensé à notre rencontre avec notre grand-oncle Germain en 2002 en compagnie de notre ancienne professeure d'histoire. Plus que nous, cette enseignante était consciente de la chance qu'elle avait de rencontrer enfin un des anciens combattants de la Seconde Guerre mondiale dont elle enseignait l'histoire jour après jour à ses élèves de cinquième secondaire. Pour nous, tous les faits entourant les années sombres de la guerre représentaient le contenu d'une matière scolaire qui nous était imposée. Certes, accoudées sur nos pupitres, nous avions du ressentiment pour ceux qui avaient déclenché cette guerre, de l'empathie pour tous les cœurs brisés et de l'admiration pour les combattants. À cette époque, par contre, nous ne concevions pas l'impact émotionnel que signifiaient l'engagement des soldats et les conditions inhumaines qu'ils avaient dû affronter durant ce long conflit.

En quelques minutes, Germain, alors octogénaire, nous avait fait part de plusieurs péripéties de guerre dans lesquelles il avait été impliqué. Nous nous rendions compte qu'il avait probablement vécu plus d'émotions durant ses années de service dans l'Armée canadienne que la plupart des hommes dans toute une existence.

Maintenant, nous voulons transmettre son histoire par écrit. Nous avons tenu plusieurs rencontres avec notre grand-oncle. Au meilleur de ses connaissances et de sa mémoire, il nous a fait part de ses souvenirs avec une grande générosité.

Il faut noter que nous n'avons pas voulu par ce livre retracer dans sa totalité l'histoire de la Seconde Guerre mondiale ou émettre nos opinions politiques. Nous jugeons qu'il existe assez d'ouvrages sur le sujet pour délaisser ces aspects. Nous avons simplement voulu relater les faits d'armes de notre grand-oncle, ancien combattant canadien-français de la Seconde Guerre mondiale à qui le destin a souri. À l'image de ses propos, nous avons rédigé un livre facile à lire et accessible à tous.

Certains ouvrages, notamment le livre *Le Régiment de la Chaudière* écrit par Jacques Castonguay, Michel L'Italien et Armand Ross, nous ont été très utiles pour la rédaction du témoignage de notre grand-oncle. La connaissance des diverses opérations du Régiment a été nécessaire pour y insérer ses souvenirs de guerre.

Nous ne sommes pas écrivaines et nous ne sommes pas de ceux qui manipulent avec brio les figures de style ou les descriptions contextuelles. Écrire est un art, mais c'est également un moyen de communication auquel nous nous remettons pour diffuser une histoire qui nous a touchées droit au cœur. Nous croyons sincèrement que la commémoration du travail et des sacrifices des anciens combattants commence par la diffusion des mémoires des protagonistes eux-mêmes. Ainsi, puisque nous avons été les seules à qui Germain Nault a bien voulu évoquer ses souvenirs dans leur entier, nous nous sommes fait un devoir de réaliser ce projet à l'intention de tous les intéressés qui n'ont pas eu la chance de les entendre de sa propre bouche et pour que son histoire ne s'éteigne pas avec lui comme pour beaucoup trop d'anciens combattants. À travers notre grand-oncle, la génération Y à laquelle nous appartenons souhaite rendre hommage à ceux qui ont participé à un des plus grands efforts de paix et de liberté de l'histoire. En même temps qu'à Germain Nault, c'est à eux tous que nous disons merci.

Marilou Doyon
Martine Doyon

Chapitre 1

MA VOIE

J'ai toujours cru qu'un chemin nous était tracé avant notre naissance. Notre étoile, notre voie, notre destin, peu importe sa dénomination, décide de notre sort, et tous les choix qu'on fait au cours de notre vie y sont liés. J'en suis persuadé. Cependant, personne ne se doute qu'un événement aussi important que la guerre peut faire l'histoire de sa vie. Les combats, les explosions, la faim, le froid, la douleur, la peur, les cadavres, qu'on les affronte pendant un mois ou cinq ans, tous ces aspects de la guerre constituent un souvenir amer qui nous revient en tête quotidiennement tout au long de notre existence. D'un autre côté, la puissance de la fraternité que j'ai connue au sein des troupes, la discipline, les démonstrations de courage et le développement d'une pensée stratégique ont eu un impact sur ma vision de la vie par la suite. Mes deux années d'entraînement et mes trois cent trente-quatre jours sur la ligne de feu ont certainement façonné mon esprit, mon cœur et surtout mon avenir, un avenir qui s'est avéré heureux pour moi, mais malheureux pour d'autres. Le destin a décidé de mon sort au front et de mes succès et échecs d'après-guerre, j'en suis convaincu.

Tout a commencé à se tracer le 27 octobre 1920, jour de ma naissance, dans le Rang 8 de Saint-Élie-d'Orford, un village près de Sherbrooke. Alors que j'avais trois ans, mes parents ont vendu la ferme et nous avons déménagé dans le petit village de Bromptonville, que nous avons ensuite quitté pour la campagne, à quelques kilomètres de là. J'y ai passé mon enfance. J'ai fréquenté l'école du rang à partir de six ans jusqu'à l'âge de treize ans où j'ai commencé à travailler.

Ma mère, Florina Provencher, avait été institutrice pendant deux années avant d'épouser mon père en 1919. Elle m'a donné naissance un mois après son vingt et unième anniversaire. En l'espace de vingt ans, elle enfantera douze autres fois. Ma mère provenait d'une famille de sept enfants, ce qui n'était pas considéré comme beaucoup à l'époque.

Les Provencher étaient des gens très gais et très ouverts. Ma mère avait hérité de ce trait de personnalité qui la distinguait dans sa façon d'être et d'interagir avec les gens. Elle était très sociable et elle ne connaissait ni la gêne ni la retenue. Elle était très énergique; il ne fallait jamais lui demander si elle était fatiguée, cela la dérangeait. C'était un état qu'elle prétendait n'avoir jamais ressenti. Elle cousait et tricotait pendant des nuits complètes à la lueur de la lampe de la cuisine pour nous confectionner des vêtements pour l'hiver.

Ma mère était sévère, mais jamais de façon exagérée. Elle faisait figure d'autorité dans la maison. Lorsque je gardais mes jeunes frères, vers l'âge de dix ans, les cas d'indiscipline étaient vite redressés par une infaillible menace : « Je vais le dire à maman lorsqu'elle va revenir. » Je n'ai jamais prétendu être supérieur à mes frères et sœurs parce que j'étais l'aîné, mais ils m'obéissaient. Ma mère donnait des ordres et je devais les faire appliquer. « Écoutez Germain, c'est lui qui va avoir soin de vous autres! » disait-elle.

Ma mère était un véritable cordon-bleu. Nous ne manquions jamais de nourriture; nous étions pauvres, mais nous mangions trois repas par jour, chaque fois suffisamment pour être rassasiés. Nous possédions une petite ferme qui fournissait les légumes et la viande. Ma mère faisait toujours des réserves qu'elle empilait dans le sous-sol. L'hiver, elle déposait la viande dans des barils qu'elle enterrait dans le foin pour la congeler.

L'heure du repas était très importante pour elle; il s'agissait d'un des rares moments où toute sa famille était réunie. Si l'un de nous manquait à l'appel, il risquait « de passer en dessous de la table », comme disait ma mère. Inutile de dire que rares ont été les fois où une chaise n'était pas occupée.

Ma mère était très religieuse. Manquer la messe n'était tout simplement pas concevable. Chaque semaine, nous marchions quelques kilomètres en famille pour nous rendre à l'église de Sainte-Praxède afin de nous confesser et d'assister à la cérémonie. La prière faisait également partie de nos habitudes de vie; le matin, aussitôt les yeux ouverts, nous devions nous agenouiller à côté de notre lit pour prier. Comme les autres, je m'astreignais à ce rituel parce que ma mère l'exigeait. C'était tout à fait normal de croire et d'intégrer la religion dans les foyers. En fait, tout ce que le prêtre nous enseignait était beau et bon. Je n'étais pas très pratiquant, mais j'étais convaincu que, si une personne était charitable envers son prochain, elle faisait son devoir envers l'Église. Je tentais d'appliquer ce principe dans mon quotidien. Je démontrais tout de même beaucoup de respect envers la foi chrétienne, car je n'aurais en aucun cas voulu décevoir ma mère.

Mon père, Elphège Nault, était un tout autre personnage. Il provenait d'une grosse famille très unie; il était l'avant-dernier d'une dizaine d'enfants. Les Nault étaient très réservés, timides et polis. Mon père était reconnu comme un homme fier, discret et respectable. Il a été patron pendant plusieurs années au moulin de Bromptonville, la *Brompton Pulp & Paper* où il a travaillé pendant près de vingt ans. Également employé de la ville, il nettoyait les fossés sur les chemins de campagne à la petite pelle pour un dollar vingt-cinq par jour. Évidemment, durant cette période de grande dépression, les gens devaient prendre en considération tout ce qui s'offrait à eux pour augmenter leurs revenus.

Mon père était moins spontané que ma mère. Contrairement à elle, il prenait rarement l'initiative des conversations. Il écoutait, parlait doucement et exprimait brièvement ses idées. Comme il était timide, il n'aimait pas non plus parler devant les gens et être le centre d'attention. Il ne projetait pas l'image du père autoritaire et extrêmement sévère, un type de chef de famille courant durant ces années-là. Sur les photos, plusieurs lui trouvaient un visage sévère, mais c'était plutôt l'homme fier de sa personne qui posait. Dès que ses pieds touchaient le sol le matin, il se dirigeait vers le miroir pour arranger sa chevelure. Une coiffure parfaite, c'était sa marque de commerce. Seule ma petite sœur Rachel pouvait passer sa main dans ses cheveux.

L'ambiance à la maison a toujours été très sereine. Mes parents entretenaient une belle complicité; ils s'aimaient et nous le sentions bien. De plus, j'ai toujours eu une relation harmonieuse avec mes frères et sœurs. Nous avions tous des personnalités très différentes. Mon frère Roger, un intellectuel, était toujours près d'un arbre en train de lire. Il possédait une mémoire étonnante. Il pouvait parcourir un manuel scolaire en marchant pour se rendre à l'école et se souvenir de la totalité du contenu rendu en classe. Quant à Marcel, le réveiller le matin était un exploit en soi. Lui, c'était un « patenteux ». Plus vieux, lorsqu'il revenait du travail vers minuit, il pouvait démonter sa bicyclette en morceaux pour la remonter après, et ce, par pur plaisir. Pour ce qui est de mes autres frères et sœurs, je n'ai pas eu beaucoup d'interactions avec eux durant mon adolescence, car j'ai dû quitter la maison très tôt pour travailler. C'est beaucoup plus tard que nous avons développé des liens plus suivis.

Pour ma part, j'étais un enfant curieux et très discipliné. J'offrais souvent mon aide pour soutenir les autres dans leurs tâches, en plus de travailler sur la ferme. On disait que j'avais du caractère, mais j'ai toujours considéré qu'il était bien placé. J'étais très studieux. Mademoiselle Fortin était ma maîtresse d'école lorsque j'ai commencé à fréquenter l'établissement du rang à l'âge de six ans. Nous étions environ cinquante-quatre élèves dans la classe, de la première à la septième année. On ne m'a jamais administré de correction, car je ne faisais jamais de mauvais coups et j'obéissais toujours aux ordres de mademoiselle Fortin. Je n'étais pas solitaire. Je parlais à tout le monde comme ma mère le faisait.

Lorsque j'étais jeune, la famille de ma mère a été très présente dans ma vie. Mon grand-père Provencher, William, était mon parrain et mon modèle. Après le décès de sa femme, un an après ma naissance, il est venu s'installer dans la maison familiale et y est resté pendant plus de vingt ans. En fait, la terre sur laquelle nous vivions lui appartenait et mes parents la cultivaient et profitaient des produits qu'elle leur donnait.

Mon grand-père se souciait énormément des autres; il n'hésitait jamais à offrir son aide en cas de besoin. Je l'admirais. On m'avait dit que, dans le temps de la grippe espagnole en 1918-1919, il allait s'occuper des animaux des fermiers malades. On lui en était très reconnaissant. De plus, mon grand-père avait le don d'animer les soirées en famille. La musique faisait partie intégrante de sa vie et il arrivait fréquemment qu'on entende résonner les mélodies de son violon dans la maison. Ma mère l'accompagnait la plupart du temps au piano, au plus grand plaisir de ses enfants.

Mon grand-père parlait constamment. Il pouvait disserter pendant des heures sans arrêt et il avait une opinion sur tous les sujets. En plus de posséder plusieurs hôtels, il était organisateur politique. Ceux qui exerçaient cette fonction étaient de très bons orateurs; ils avaient généralement beaucoup d'entregent et ils étaient à l'aise avec n'importe qui, peu importait son rang social. Leur tâche principale consistait à préparer les élections pour le gouvernement fédéral. Le scrutin avait lieu dans des maisons privées où on invitait les citoyens pour discuter de politique et déposer leur vote.

Dès que j'ai eu sept ans, mon grand-père m'a fait confiance et m'a encouragé à travailler à la ferme. Chez nous, je faisais bien des choses qu'aucun autre jeune ne faisait. Ainsi, à neuf ans, je labourais avec deux chevaux et une charrue à main. Il fallait que je travaille pour aider ma famille. Ma jeunesse a filé rapidement, mais je n'ai pas eu l'impression d'avoir manqué un bout de ma vie. Mon grand-père me faisait voir le travail comme tout autre chose qu'un gaspillage de sa jeunesse. Je devenais quelqu'un d'utile à ma famille, ce qui me valorisait.

Mon grand-père a grandement marqué ma vie en forgeant mon caractère. Il me disait constamment: «Quand tu fais quelque chose dans la vie, arrange-toi toujours pour être le meilleur!» J'ai retenu cette leçon.

Durant la crise économique de 1929, mes parents sont toujours parvenus à nous nourrir convenablement et à nous habiller pour aller à l'école. En plus, la haute direction de l'usine où mon père travaillait voulait offrir un travail à tout le monde; les gens pouvaient donc faire des demi-journées moyennant réduction de salaire. Cette situation a duré un certain temps, jusqu'au moment où la guerre s'est déclarée, en fait. Pour aider mes parents à subvenir aux besoins de la famille durant cette épouvantable dépression, j'ai dû commencer à gagner de l'argent vers l'âge de douze ans. Au début, je travaillais tous les matins pour nos voisins, monsieur Fredette et monsieur Gosselin; j'allais chercher les vaches pour la traite. Ils me donnaient chacun cinquante cents par semaine, que je remettais aussitôt à mes parents.

Mon premier vrai travail a débuté à la fin de l'année 1933. Un de mes oncles Nault était boucher et il vendait sa viande au marché. Il avait vanté mes mérites comme travailleur à un de ses clients, un certain monsieur Caron. Cet homme, un jardinier demeurant à Sherbrooke, décida de me prendre sous son aile. J'ai quitté la maison à l'âge de treize ans et j'ai pris le train avec seulement une petite valise contenant quelques effets personnels. Je n'appréhendais aucunement mon départ de la maison familiale. Je désirais aider mes parents financièrement et il était tout à fait logique que je travaille pour y arriver.

Chez monsieur Caron, nous cultivions des légumes et des fleurs que nous vendions au marché le vendredi. L'été, je me levais à quatre heures et je pouvais travailler jusqu'à vingt heures tous les jours. Monsieur Caron possédait également six jardins d'hiver où nous pouvions poursuivre la culture durant la saison froide. Toutes les deux semaines, je retournais chez mes parents pour leur remettre le salaire de mon travail. Je marchais environ dix kilomètres pour me rendre à la maison, été comme hiver, un trajet que je mettais moins de deux heures à couvrir. La fin de semaine écoulée, je reprenais le train pour aller faire deux autres semaines de travail.

J'ai été à l'emploi de monsieur Caron pendant près de cinq ans. J'étais son seul employé, avec son fils qui travaillait de temps à autre. J'ai tissé des liens très serrés avec sa famille, qui m'a offert tout ce temps une hospitalité indéfectible. Je me suis beaucoup plu chez eux et je me considérais chanceux d'avoir cet emploi.

Durant cette période, j'ai rencontré beaucoup de jeunes de

mon âge. Je me suis principalement lié d'amitié avec les Beaulieu et les Boudreau. Nous formions un groupe exceptionnel d'une trentaine de jeunes. La famille des Boudreau était composée de quatre gars et d'une dizaine de filles. Lorsqu'il y avait une fête et que nous voulions inviter une partenaire, nous avions l'embarras du choix. Durant ces soirées, nous jouions à la bouteille ou nous participions à des danses organisées. J'étais toujours accompagné. Apparemment, je n'avais pas trop de difficulté avec la gent féminine. Je m'exprimais avec beaucoup d'aisance, même si j'étais parfois nerveux. Cela me facilitait les choses lorsque venait le temps de courtiser et d'inviter les demoiselles.

Un jour de l'année 1939, alors que je venais d'avoir dix-huit ans, j'ai eu la chance de croiser une des sœurs Beaulieu au bon moment. À cette époque, j'espérais gagner son cœur, mais c'est tout autrement qu'elle a changé ma vie de jeune adulte. Elle tâtait le terrain pour savoir si je désirais travailler à la *Dominion Textile*, une compagnie de tissage bien en vue à Sherbrooke. Je lui mentionnai que j'en serais bien heureux et elle ajouta que son père était le patron de l'usine. Quelques jours après cette rencontre, j'étais embauché pour cette compagnie. J'y suis entré comme employé à raison de six jours par semaine, douze heures par jour. Hebdomadairement, je gagnais près de trente dollars. On me surnommait «le riche». Dès lors, je réussissais à me louer des voitures pour sortir. J'ai même fait l'acquisition d'un véhicule Ford 1938 neuf que j'ai payé huit cent quarante dollars. Je travaillais très fort pour gagner mon argent. Ma principale tâche consistait à nettoyer les machines à tisser. Le travail n'était pas difficile en soi, mais il s'alourdissait du fait qu'il me fallait supporter des chaleurs s'élevant à près de quarante degrés Celsius. J'ai travaillé pour la *Dominion Textile* jusqu'en 1941.

Durant cette période, je logeais chez monsieur Léo Bibeau, une autre très belle rencontre dans ma vie. Il venait me chercher à l'usine le samedi soir et, le dimanche, je l'aidais en nettoyant les animaux et en livrant le lait avec lui. Ainsi, je payais moins cher de pension et je gagnais mon argent de poche. C'est d'ailleurs en travaillant pour lui que je me suis blessé au genou, ce qui m'a même empêché d'occuper mon poste à la *Dominion Textile* pendant plusieurs mois, et ce, à deux reprises, en raison des limitations causées par la douleur.

En 1940, j'ai fait la rencontre de mademoiselle Allard, elle qui allait devenir ma première copine. Nous nous retrouvions parfois chez mes parents pour prendre le repas, les fins de semaine où je ne travaillais pas. Nous nous entendions très bien et j'appréciais beaucoup sa compagnie. Nous faisions beaucoup d'activités ensemble. Même si nous nous sommes fréquentés durant près d'un an, nous n'avons jamais eu de relations intimes ensemble. Il fallait évidemment attendre d'être mariés. Notre histoire s'est donc poursuivie sans anicroche jusqu'au moment où j'ai quitté pour l'entraînement militaire...

Chapitre 2

CRÉDULES ET VOLONTAIRES

LE GRAND RECRUTEMENT

Durant mon enfance, la guerre 1914-1918 nous était racontée comme on raconte la guerre 1939-1945 dans les classes secondaires d'aujourd'hui, mais elle était évidemment moins documentée. Non seulement était-elle assez récente, les moyens de communication lorsqu'elle avait eu lieu étaient beaucoup moins développés qu'au milieu du siècle.

Les combattants nous inspiraient beaucoup d'admiration. Pour les jeunes que nous étions, ils représentaient la crème des hommes. C'était des hommes forts, courageux et disciplinés, des héros de l'histoire du monde. Quand la Seconde Guerre mondiale s'est déclarée en septembre 1939, je n'avais que dix-huit ans. C'était loin d'être l'état de panique par chez nous. L'effet sensationnaliste de la nouvelle ne se ressentait pas dans les petites régions comme la nôtre. Malgré la radio et les journaux qui nous informaient des derniers détails, cette guerre ne représentait pas une menace pour nous. Nous en percevions la portée en Europe comme on perçoit les combats d'aujourd'hui dans les pays du Moyen-Orient, c'est-à-dire avec une certaine dissociation. Toutefois, plus les mois passaient, plus nous étions conscients que la participation des civils canadiens était imminente.

En juin 1940, le gouvernement d'Ottawa, dirigé par Mackenzie King, adopta la *Loi sur la mobilisation des ressources nationales,* qui permettait au gouvernement de mobiliser les civils et de forcer leur participation à la défense intérieure. King a donc expédié des lettres de requête d'enregistrement à tous les hommes aptes à intégrer les rangs de l'Armée canadienne. Cette loi n'obligeait en rien l'enrôlement pour le service militaire outre-mer. Elle sera toutefois jugée indispensable en 1944, lorsque les effectifs militaires volontaires ne suffiront plus à fournir l'Armée canadienne en renforts pour le service outre-mer[2].

À l'entrée des villes, les murs étaient placardés de messages de mobilisation. «Enrôlez-vous!» pouvait-on lire. Ainsi, tous les hommes de la famille devaient s'enregistrer et passer les tests requis pour ensuite faire un entraînement qui ne devait pas excéder deux mois. C'était le grand recrutement. De cette façon, si la conscription se concrétisait au Canada, le gouvernement aurait des effectifs prêts à combattre. Évidemment, certains critères relatifs au profil des hommes recrutés ont été établis. Pour l'enregistrement, il fallait être un célibataire dans la vingtaine, sans enfant et en bonne condition physique.

J'ai reçu la lettre m'obligeant à m'enregistrer et à subir les tests à la fin de l'été 1941. Plusieurs Canadiens français avaient déjà commencé l'entraînement. Poussée par son habituelle curiosité, ma mère a ouvert l'enveloppe malgré mon absence. Il faut dire qu'un message du gouvernement du Canada destiné à son fils s'avérait d'un vif intérêt.

Je ne me souviens pas d'avoir décelé de la tristesse ou de la peur dans le visage de ma mère quand j'ai franchi la porte de la maison ce jour-là. Avec le peu d'informations que nous possédions sur ce qui se passait, nous n'étions pas dans un contexte bien inquiétant; nous n'envisagions tout simplement pas encore une participation outre-mer. À ce moment-là, le fait de m'en-

---

2. André LAURENDEAU. *La Crise de la conscription*, Montréal, Éditions du Jour, 1962.

rôler dans l'armée représentait pour moi un moyen plus facile de faire de l'argent et de vivre une expérience hors du commun. J'allais passer deux mois à m'entraîner avec l'Armée canadienne; j'en étais honoré et fier, rien de moins.

Certains hommes qui n'avaient pas reçu la lettre avaient décidé d'aller passer les tests malgré tout en espérant dissimuler les détails de leur condition physique qui contrevenaient aux critères. Un bon pourcentage de ces gens ne travaillaient pas et vivaient très pauvrement. Selon la mentalité de l'époque, les gens qui occupaient le bas de la pyramide sociale n'étaient pas destinés à réussir. L'offre du gouvernement constituait la solution à leur misère. Les militaires étaient bien habillés, ils mangeaient bien et ils avaient quelques dollars à la fin du mois, soit un dollar trente par jour d'entraînement[3]. L'armée représentait un départ pour l'aventure et l'abandon d'une vie monotone et sans perspective d'avenir.

En contrepartie, plusieurs pressentaient les risques associés à cette aventure et ne désiraient pas en faire partie. Ils voyaient cela comme une étape avant la conscription. D'autres ne souhaitaient pas délaisser leur liberté d'action pour la discipline et la soumission à l'autorité. Ce n'était effectivement pas très rassurant de devoir quitter son village ou sa ferme pour se diriger vers un camp militaire où les soldats n'étaient pas les patrons. C'était les officiers qui décidaient quand se lever, manger, se laver et ainsi de suite.

On a alors entendu parler de la course aux mariages pour éviter l'enrôlement. Plusieurs couples devançaient leurs épousailles pour modifier leur statut matrimonial. L'Église acceptait même les mariages en groupes afin de répondre à la demande.

---

3. Tel qu'inscrit sur le *Pay certificate* de Germain Nault du *Canadian Army and RCAF on active service Canada*, 1942.

D'autres utilisaient des moyens un peu plus drastiques pour déjouer les tests médicaux. Certains s'injectaient de l'eau de Javel dans les genoux pour attaquer leurs articulations, d'autres avalaient des pois durs pour espérer faire apparaître des taches aux poumons lors de la prise de radiographies. À leur grand bonheur, ces hommes étaient retirés de la liste et déclarés inaptes à s'entraîner. J'ai également entendu parler de candidats qui se réfugiaient dans les bois pour fuir le service militaire. Ces désertions étaient motivées par deux raisons différentes; certains avaient peur, alors que d'autres refusaient de joindre une armée majoritairement anglophone et soumise à la volonté impérialiste de l'Angleterre. Ces derniers se faisaient appeler les patriotes par les militants anti-impérialistes[4]. Ils pouvaient vivre isolés pendant plusieurs mois, en attendant qu'on les oublie et en prenant toutes les précautions pour ne pas être repérés. Toutefois, si les sergents recruteurs apprenaient où ils se cachaient, ils en informaient la police militaire et les déserteurs encouraient de graves conséquences. On arrêtait les fautifs et, pendant une durée que j'ignore, ils étaient détenus dans une prison militaire où ils étaient astreints à des travaux communautaires. Les détenus travaillaient dur et étaient escortés dans tous leurs déplacements. Ils étaient également soumis à un couvre-feu et à des contrôles sévères.

Entraînement militaire à Sherbrooke

Je me suis présenté le 29 septembre 1941 sur la rue Galt Ouest, au camp militaire de Collinsville commandé par le lieutenant-colonel J.-S. Bourque. L'endroit était anciennement une banlieue de Sherbrooke. J'avais vingt ans. C'est monsieur Bibeau qui m'avait offert de m'y conduire puisque c'était chez lui que je logeais à ce moment-là. Mes parents n'avaient démontré aucune inquiétude au sujet de mon départ, puisqu'il ne s'agissait que

---

4. Sébastien VINCENT. *Ils ont écrit la guerre*, Montréal, VLB Éditeur, 2010.

de deux mois d'entraînement, sans conséquence à première vue. Ils se disaient que leur fils aîné ne faisait que son devoir et ils appréciaient qu'il s'y soumette sans résistance. Pour ma part, j'avais les mêmes pensées. Je savais aussi que je reviendrais chez moi presque toutes les fins de semaine. Mademoiselle Allard, ma copine, ne semblait pas trop peinée que je la quitte pour l'entraînement. Nous nous sommes vus la veille de mon départ et nous ne nous sommes fait aucune promesse. Advienne que pourra, nous assumerions la situation.

Au camp, il y avait des milliers d'hommes prêts à signer le formulaire d'enregistrement. J'en connaissais quelques-uns, mais pour la plupart, c'était seulement leur visage qui m'était familier.

Une fois sur place, je n'étais plus tout à fait certain de ma motivation à intégrer les rangs de l'Armée canadienne. Tout semblait démesuré et, de prime abord, la discipline qui régnait dans les lieux était plutôt inquiétante. Les sourires de politesse faisaient place à des moues sévères et il nous fallait oublier les discours sécurisants. Nous devions nous soumettre à plusieurs examens médicaux. On nous a donné une serviette en nous indiquant de laisser nos vêtements pour nous diriger vers les douches. Il n'était pas question de nous déshabiller discrètement dans de petites cabines séparées par des rideaux. Cela en a surpris plus d'un. On pouvait entendre les jurons de mécontentement dans les rangs; le degré de pudeur est bien différent d'un homme à un autre.

La serviette attachée autour de la taille, nous attendions en file. Je regardais autour de moi cette troupe d'hommes dans leur plus simple appareil. Certains pleuraient, d'autres ricanaient, les uns sacraient, les autres exprimaient leurs craintes. Des hommes perdaient connaissance à la vue des aiguilles.

C'est le docteur Veilleux qui m'a fait passer l'examen médical exigé par la *Loi sur la mobilisation des ressources nationales*. Je croyais être évincé lorsque j'ai su que c'était ce médecin qui allait m'évaluer, car, quelques mois auparavant, il avait déclaré une anomalie à mes oreilles, de sorte que ma demande d'adhésion à des assurances du travail avait été refusée. J'avais en effet souffert de douleurs aux oreilles au début de l'année 1939. Il en a été autrement cette fois-là; j'étais devenu le candidat parfait pour l'armée, avec une santé sans tache. Le médecin a rempli le *Formulaire d'examen médical et de certificat* du ministère des Services nationaux de guerre. Sur le document, il a inscrit que je mesurais cinq pieds et sept pouces et demi, que je pesais cent quarante-cinq livres, que j'avais les yeux bleus, les cheveux blonds, une constitution moyenne, une acuité visuelle 20-20 des deux yeux et une acuité auditive impeccable, que les dents de ma mâchoire supérieure avaient toutes été extraites et que je n'avais aucune maladie ou affection particulière.

Plusieurs hommes ont été refusés dès cette première étape. Plus tard, vers 1943, deux de mes frères ne pourront être enrôlés dans l'Armée canadienne. L'un avait les pieds plats, ce qui pouvait occasionner de la fatigue, de la douleur et de la claudication lors d'efforts physiques prolongés, alors que l'autre était sourd d'une oreille, ayant souffert d'une mastoïdite, plus jeune. Il n'était nul besoin d'être forts pour devenir soldats, mais il fallait avoir une santé mentale et physique quasi parfaite.

J'ai commencé mon entraînement militaire au début du mois de décembre 1941. On nous appelait les apprentis soldats, les recrues. Nous étions des milliers à nous entraîner à Sherbrooke. Me faire des amis n'a pas été difficile. En très peu de temps, les soldats formaient une grande famille. Un lien très fort nous unissait; nous étions tous ensemble dans la même situation. Nous acceptions les volontés de notre gouvernement et nous nous préparions à défendre éventuellement notre pays et nos alliés. Je me suis rapidement lié d'amitié avec Fernand Hains, de Bromptonville. Il avait cinq ans de plus que moi. C'était un gars timide, mais j'avais beaucoup d'affinités avec lui. Nous avons développé une belle complicité, même si nous ne nous côtoyions pas quotidiennement. Malgré le fait que j'étais plus extraverti que lui, nous avions un caractère et une personnalité assez semblables. Nous aimions le même genre d'activités et les mêmes sujets de conversation.

Au début, on nous a donné nos vêtements et notre matricule de militaire, le mien étant le D–611149. Comme c'était l'hiver, nous avions des habits kaki en laine. Nous chaussions des bottes noires cirées et portions des manteaux avec des boutons dorés que nous devions frotter tous les jours.

Nos journées en tant que recrues commençaient très tôt; le clairon sonnait vers six heures. Me lever à cette heure ne représentait pas un supplice pour moi, car j'étais la plupart du temps réveillé dès l'aube. Souvent, j'allais me doucher avant que les autres ne se lèvent. Certains aimaient bien poursuivre leur nuit après l'heure du réveil, mais ils encouraient des sanctions. Nous devions nous laver chaque matin. Ceux qui refusaient de se doucher étaient rapidement ramenés à l'ordre par les officiers qui les lavaient eux-mêmes… avec une brosse à plancher. Ils en sortaient rouges comme des homards, honteux de leur impertinente résistance. Je me souviens d'un dénommé Mercier qui ne se préoccupait pas de son hygiène. Peut-être par paresse, il passait outre aux ordres. Nous l'avions déshabillé et lavé. On ne nous avait pas demandé de le faire, non, nous l'avions décidé de notre propre initiative; il y a des limites à devoir supporter les relents d'un gars malpropre.

Tous les jours, après le déjeuner et avant les exercices du matin, il y avait une parade d'inspection sévère. Le sergent-major déléguait la direction de la parade à l'officier du jour, qui passait devant chacun de nous, parfois à grands pas, d'autres fois bien lentement pour mieux débusquer des preuves de négligence. L'officier vérifiait nos habits, notre toilette, notre lit. Nos bérets devaient être placés à un endroit spécifique sur notre tête. Il ne se contentait pas de regarder si notre barbe avait été bien rasée; il passait le dos de sa main sur notre visage pour vérifier la douceur de la peau. Je n'ai jamais reçu d'avertissement ou de sanction. Je n'étais peut-être pas le meilleur soldat, mais je n'étais pas un rebelle. Je n'ai jamais désobéi et j'ai toujours respecté les règlements. Je n'ai jamais trouvé exagéré ou inutile de faire tout ce qu'on nous demandait pour nous former selon des normes d'excellence. Nous représentions une instance gouvernementale; nous ne pouvions nous permettre de faire le strict minimum.

L'entraînement commençait après l'inspection. Nous effectuions des manœuvres avec une carabine de marque Winchester. Au cours de cette pratique élémentaire qui durait entre deux et trois heures, nous devions exécuter à répétition de multiples exercices de présentation d'arme pour la parade, et ce, de façon synchronisée. Nous avons également appris les rudiments du nettoyage et du chargement de la carabine.

Ensuite, nous retournions dans les baraques pour dîner. Nous étions bien nourris, mais pas dans l'abondance. Nous avions deux gamelles seulement pour mettre le café, la soupe, le repas et le dessert. Nous n'avions pas le choix de nous priver d'un de ces services, à moins d'être très imaginatifs. Après le dîner, il y avait une période de repos et nous recommencions l'entraînement ou les marches de groupe. À dix-sept heures, nous étions libres.

Cette séquence d'activités représentait une journée type d'entraînement durant les deux premiers mois au camp. Ce n'était pas épuisant, mais la routine nous démotivait. Les heures de travail étaient longues. Par chance, nous n'avons jamais dû effectuer des exercices de nuit. Les officiers pouvaient toutefois nous réveiller pour nous envoyer subir des tests de dépistage de MTS, comme la syphilis, par exemple. Cette maladie était malheureusement très répandue à cette époque et les porteurs étaient immédiatement retirés de l'armée.

Le soir, nous pouvions sortir à partir de dix-sept heures et nous devions être de retour à vingt-deux heures. Le camp était situé à quelques kilomètres du centre-ville de Sherbrooke et nous prenions l'autobus. Nous allions sur la rue Wellington avec nos habits, le nez en l'air et le torse bombé, auréolés de notre fierté de nouveaux soldats. Nous devions toujours nous afficher en habit militaire; nous représentions l'Armée canadienne en tout temps. En ville, il nous arrivait de croiser les gars du *Sherbrooke Fusiliers Regiment*, avec qui nous combattrions plus tard au front et qui participeraient à la première bataille de blindés sur le territoire français.

Les soirées se déroulaient généralement bien, mais quelques soldats prenaient plaisir à se battre pour le spectacle. Même s'ils n'étaient que des recrues, certains se percevaient déjà comme supérieurs, tant sur le plan social que physique. Pour ma part, j'étais conscient de mon véritable statut et je n'approuvais guère cette conduite grossière. Je me disais souvent que les filles n'avaient pas à être témoins de ces querelles stupides et qu'elles auraient eu avantage à rester chez elles, ces soirs-là. Quand les hommes décidaient de foutre le bordel, il n'y avait pas grand-chose pour les arrêter. Certains ne connaissaient pas la courtoisie, surtout lorsqu'il s'agissait de draguer les dames. Leur haleine aux relents de bière, leur agressivité et leurs gestes dépourvus de retenue faisaient fuir celles qu'ils convoitaient. Fernand Hains était la plupart du temps celui avec qui je m'assoyais pour discuter bien calmement lors de ces soirées en ville.

Toutes les fins de semaine, je retournais à la maison. Nous avions alors une demi-journée ou une journée de congé où nous pouvions aller retrouver les nôtres. Je ne demeurais pas bien loin, alors j'en profitais. Durant ces deux mois d'entraînement, je n'ai jamais ressenti de tristesse et je n'ai jamais regretté d'avoir rallié les rangs de l'armée. J'acceptais très bien mon destin. Cependant, il m'arrivait d'éprouver le besoin de revenir aux sources et ma mère réussissait très bien, les quelques heures où j'étais près d'elle, à me distraire de ma vie de soldat. Durant ces courts séjours, elle démontrait vivement sa joie de me voir et s'assurait de mon bien-être par de petites attentions, telles que la préparation d'excellents repas. Mon père semblait également heureux de ma venue quand il était présent, quoiqu'il fût beaucoup moins expressif. Il se contentait de me tapoter le dos avec un sourire en coin.

À ce moment, mes parents ne s'inquiétaient pas vraiment à mon sujet; ils n'entrevoyaient aucunement la possibilité que leur fils aille combattre outre-mer. Moi non plus, d'ailleurs. Durant ces congés, je tentais de converser avec chacun de mes frères et sœurs pour raviver le lien fraternel qui avait été quelque peu négligé au cours des années précédentes. C'était important pour moi et cela me permettait de les connaître un peu plus chaque fois.

En janvier 1942, on nous a informés qu'il y aurait deux mois d'entraînement supplémentaires. Peut-être était-ce ce qui était prévu au départ, mais nous n'en avions pas été avisés. Cette annonce-là, elle, m'a dérangé. Paradoxalement, l'aventure et l'inconnu m'ont toujours plu, mais mes principes s'accommodaient mal de ce changement de plan inopiné. J'ai toujours tenté d'éviter les imbroglios, les fausses promesses et les manipulations et je souhaitais qu'on agisse de la même façon avec moi. Dans ma vie de civil, j'avais toujours eu le choix de rester ou de partir et, maintenant, je n'avais pas la maîtrise de la situation, ce qui me contrariait. Le temps que nous venions de faire avait été plutôt pénible sur le plan de la motivation. La routine était devenue réellement déprimante et nous avions du mal à voir le bout de toute cette aventure, même si nous savions que nous nous entraînions pour permettre au gouvernement de s'assurer des effectifs de réserve. Je me suis demandé si les deux mois suivants allaient être à l'image de ce que nous avions vécu jusque-là. Quel allait être l'objectif au bout de ces mois d'entraînement supplémentaires? J'aurais désiré avoir des réponses tout de suite.

Les frères Germain, Roger, Wilfrid et Marcel Nault, 1941
Source : Collection Germain Nault

Environ huit jours après le début du deuxième mois de cette période d'entraînement, plusieurs soldats se sont réunis. Nous étions prêts à retourner chez nous et à reprendre nos habits civils. Plusieurs parmi les officiers étaient au courant de ce qui se passait. Comme ils percevaient notre manque de motivation, ils ont commencé à nous vanter les avantages de l'intégration volontaire et permanente aux forces armées, dont celui d'apprendre les rudiments d'un métier que nous pourrions continuer à exercer même après notre service militaire. Nous n'étions pas obligés de signer le formulaire d'enrôlement permanent comme le stipulait la *Loi sur la mobilisation des ressources nationales*, mais on faisait un effort soutenu pour nous diriger vers cette avenue.

Encore une fois, certains hommes ont pris peur et ont fui le camp. Ceux qu'on qualifiait à la fois de lâches et de courageux étaient étiquetés comme déserteurs et risquaient la prison. Nous parlions du système D entre nous selon lequel, si un déserteur n'était pas vu et pris en flagrant délit, on ne faisait rien contre lui. D pour la première lettre de l'expression « Débrouille-toi et tu t'en sortiras ». Nous utilisions cette expression non formelle dans toutes sortes de contextes durant notre service militaire.

Devenir déserteur impliquait un retrait du monde et, donc, l'impossibilité de retrouver les siens et de vivre normalement. Certains ont passé des années dans des cabanes délabrées. C'était là un sujet dont on discutait dans les baraques. On parlait de ceux qui se construisaient un abri rustique dans le bois et qui devaient compter sur de bons samaritains qui leur apporteraient de la nourriture. C'était tout un problème pour eux; ils pouvaient être surveillés et ils devaient changer d'abri de temps à autre pour ne pas être retrouvés.

Il était inutile de juger ces hommes-là. Pour ma part, j'ai toujours cru qu'ils étaient assez punis en étant condamnés à vivre des années en ermites. Même au camp d'entraînement de Sherbrooke, au *road call*[5] du matin, c'était le silence à l'appel de certains noms. La déduction était évidente.

---

5. Appel de noms de chacun des militaires pour vérifier les présences, réalisé par l'officier du jour.

Pendant les deux mois supplémentaires d'entraînement, nous avons commencé à poser des questions, mais nous n'avons pas eu de réponses. Nous avons alors décidé de démontrer une attitude plus optimiste face à cette situation en songeant aux avantages du volontariat et, ainsi, nous avons modifié notre discours du tout au tout. Nous nous sommes mis à rêver chacun de notre côté à un futur plus valorisant dans l'armée. En même temps, nous suivions davantage l'actualité. Les Forces de l'Axe – unissant notamment l'Allemagne, l'Italie et le Japon – et les Alliés – composés entre autres des États-Unis, de l'Angleterre, du Canada et de l'Union soviétique – combattaient sans relâche. Les Allemands combattaient les Soviétiques, devenus plus agressifs, et commençaient à modérer leurs ardeurs. Les Américains étaient entrés en scène et les Japonais donnaient la réplique aux Alliés en Asie[6]. Quand nous avions su qu'il fallait faire deux autres mois d'entraînement, nous nous étions dit que si nous nous déclarions «actifs», c'est-à-dire si nous signions le formulaire d'enrôlement volontaire, nous ferions probablement un très beau voyage en Europe après l'entraînement au Québec. Nous n'avions pas l'argent requis pour nous rendre aussi loin et l'enrôlement volontaire semblait un bon moyen d'y parvenir. Je crois d'ailleurs qu'à cette époque où l'espoir était la seule façon d'alimenter les rêves de grandeur, il était tout à fait légitime de penser ainsi.

J'ai commencé à diffuser mon plaidoyer et à convaincre quatre hommes de me suivre, dont Fernand. Inconsciemment peut-être, j'avais besoin de savoir que je ne serais pas seul dans ma démarche. Finalement, au bout de quelques jours, j'avais réussi à persuader une douzaine de recrues que de devenir permanents était notre seule chance de voir le monde et, bien sûr, d'apporter notre aide aux Alliés de l'autre côté de l'Atlantique. Ainsi, nous pourrions être fiers d'avoir fait face à nos responsabilités.

---

6. Pierre VENNAT. *Les Héros oubliés – Du «Jour J» à la démobilisation*, Éditions du Méridien, Tome III, Montréal, 1998.

Nous nous sommes présentés dans le bureau du capitaine Tarte un après-midi et avons formulé notre manque d'intérêt à poursuivre l'entraînement à Sherbrooke en tant que recrues. C'était moi qui avais été désigné comme porte-parole du groupe. Le capitaine m'a demandé les raisons de mon intervention avec un air de supériorité. Je lui ai simplement répondu que nous désirions devenir permanents dans l'Armée canadienne. Nous voulions participer plus concrètement à l'effort de guerre. Je crois aujourd'hui qu'il ne s'agissait pas d'un vœu totalement conscient, car en toute franchise, nous ne prévoyions pas prendre les armes, au bout du compte.

En considérant qu'après ces deux mois la mobilisation d'effectifs s'intensifierait probablement, nous voulions prendre les devants et nous engager de notre propre gré, volontairement et sans regret. Je dois cependant l'avouer, il aurait été erroné d'affirmer que la raison première de notre enrôlement volontaire était de sauver notre pays ou de nous empresser de hisser nos couleurs au front. Certes, nous ne saisissions pas l'ampleur des conséquences que la guerre aurait sur l'avenir du monde. Nous étions jeunes, les hostilités semblaient se dérouler à l'autre bout du monde et nous n'avions pas tous le drapeau de la mère patrie gravé sur le cœur comme on semble le prétendre dans plusieurs films de guerre.

D'ailleurs, on nous reprochera plus tard les motivations prétendument insignifiantes qui nous poussaient à signer « actif », tels le goût de l'aventure et l'espoir d'un avenir plus gratifiant. On dira de nous que nous étions des soldats égoïstes et sans engagement patriotique, volontaires pour des raisons insuffisamment nobles. Mais aujourd'hui, avec le recul, était-il justifié de critiquer des jeunes hommes de vingt et un ans qui n'avaient à peu près rien vu du monde et qui osaient tout de même se compromettre pour la patrie en s'impliquant dans le conflit? Comment, à cette étape-ci des hostilités, aurions-nous pu être totalement conscients de la portée de la guerre et de notre future participation aux combats? Il était facile de juger, loin du champ de bataille et après la capitulation des Allemands. De toute façon, comment pouvait-on reprocher quoi que ce soit à ces hommes qui avaient tout de même combattu de leur mieux, en dépit de leurs motivations initiales, et qui avaient sacrifié leur propre vie? On mettait malheureusement tous les Canadiens français dans le même bateau... En attendant, nous, nous allions signer sur une base volontaire et nous la ferions, cette guerre!

Avant de signer « actif », j'ai dû me soumettre à un deuxième examen médical complet. Il nous fallait redonner nos habits de soldats qu'on nous avait prêtés en septembre. Les tests étaient semblables aux premiers. Le médecin devait inscrire *yes* ou *no* à la question : « Avez-vous déjà souffert de... » suivi d'une quinzaine de maladies allant de la tuberculose à la syphilis, en passant par les varices et les maladies mentales. Dans mon cas, le seul endroit où le médecin a dû répondre par l'affirmative fut à l'égard de la maladie des oreilles. C'était là un aspect de ma santé qui avait été ignoré lors de mes premiers examens médicaux. Il était inscrit que j'avais les dents du bas en bon état, alors que celles du haut avaient été enlevées. À cette époque, on pouvait se considérer chanceux d'avoir encore quelques dents dans la bouche passé vingt ans. Dans la section « Anomalies », il fut inscrit que j'avais une vieille fracture au genou gauche qui ne me causait pas de perte de mobilité ni quelque déformation que ce soit, une particularité qui avait également été ignorée lors du premier examen. Cependant, même si je demeurais très fonctionnel, le genou que je m'étais blessé un an plus tôt chez monsieur Bibeau m'occasionnait parfois des maux que j'essayais de dissimuler.

Enrôlement volontaire
C'est finalement le jeudi 29 janvier 1942 que j'ai signé

volontairement la *Formule d'enrôlement de l'Armée canadienne – Formations et unités actives*. Le texte de l'engagement était le suivant: *Je, soussigné, Germain Nault, déclare solennellement que les renseignements ci-dessus mentionnés sont vrais et je m'engage, par les présentes, à servir dans toute formation ou unité active de l'Armée canadienne, tant qu'il existera ou que l'on aura à craindre une guerre, une invasion, une émeute ou une insurrection, aussi bien que pour la période de démobilisation après que ladite crise aura cessé, et, en tout cas, pour une période d'au moins un an, si Sa Majesté requiert mes services. Je, soussigné, Germain Nault, promets sincèrement et déclare solennellement que je serai fidèle et que je porterai sincère allégeance à Sa Majesté.*

Je venais d'avoir vingt et un ans et cette simple signature apposée sur une feuille de papier allait changer ma vie à tout jamais. J'ai informé mes proches de ma décision après avoir signé le formulaire, et ce, sans trop entrer dans les détails. Je leur avais mentionné que, selon la volonté de notre gouvernement, je devais poursuivre mon entraînement ailleurs qu'à Sherbrooke. Mes parents n'en avaient donc pas fait un plat et ils avaient pris la chose comme si c'était seulement ce qui était prévu. Je fus assigné à la 1re division d'infanterie canadienne. Chacune des divisions comportait trois brigades et chaque brigade comptait trois régiments. On m'avait assigné au Royal 22e Régiment, l'un des trois grands régiments d'infanterie au Canada. J'ai obtenu mon matricule la même journée, après la signature, le D-124716, un numéro qui représentait mon rang parmi tous les hommes enrôlés au Canada depuis le début de la guerre et qui allait me suivre durant toutes mes années de service dans l'Armée canadienne. Fernand Hains était tout près derrière moi lorsque j'ai signé et je me souviens que le matricule qui lui a été attribué a été le D-124725. Tout au long de mon service militaire, je répondrais aux supérieurs par mon numéro de matricule. C'était devenu mon nom, mon identité, ma place parmi des milliers d'autres numéros.

Tous les hommes étaient en quelque sorte dépouillés de toute personnalité. Avec ces matricules qui nous étaient associés, il ne fallait pas s'attendre à être traités de façon bien humaine et distinctive. C'était l'armée et son unique but était de former des soldats aptes à la guerre.

Les jours qui ont suivi la signature du formulaire, soit au début de février 1942, nous avons dû planifier notre départ pour la base militaire de Valcartier, située près de Québec. Nous étions avertis qu'il fallait nous préparer à poursuivre un entraînement plus approfondi que celui que nous avions eu à Sherbrooke. Environ une quinzaine de volontaires de la région devaient quitter ce jour-là. On nous a donné des vêtements neufs et notre petit groupe a pris le train en direction de Québec. Chemin faisant, nous devions faire halte dans plusieurs villes pour prendre des gars qui s'étaient enrôlés comme nous. Pour ma part, c'était la première fois que j'allais aussi loin. Avant 1942, j'étais seulement allé à Montréal quelques fois pour le travail. J'étais donc emballé à l'idée de découvrir du pays.

Lorsque nous sommes arrivés à Québec, des officiers sont venus nous chercher avec des véhicules de l'armée pour nous amener à la base militaire de Valcartier. Après seulement quelques minutes sur la route, on nous a mentionné que nous ferions un arrêt pour le repas. Lorsque nous nous sommes immobilisés, nous avons rapidement quitté les camions. Je me souviendrai toujours de la vision que nous avons eue. On nous avait fait descendre devant le Château Frontenac. Les yeux écarquillés, la bouche grande ouverte, nous étions ébahis devant ce chef-d'œuvre architectural. Construit en 1892, le Château Frontenac était le symbole de Québec. Avec son architecture qui s'inspirait des châteaux érigés en France durant la Renaissance, il nous transportait dans un conte de fées. Nous étions à peine dans le début de la vingtaine et nous n'avions à peu près rien vu du monde. Pour la plupart, l'argent que nous avions, nous l'avions amassé dix cents à la fois dans les champs et les usines. Les grands hôtels et les grands restaurants ne faisaient pas partie de notre réalité. C'était donc pour nous une chance inouïe que de se retrouver à cet endroit à ce moment. Le Château Frontenac représentait pour nous la richesse; il était destiné aux bien nantis seulement. Il semblait si inaccessible pour nous!

Nous étions les seuls invités. En outre, durant les mois qui suivraient à Valcartier, je n'entendrai jamais dire que d'autres soldats auront eu le même privilège. Nous ne savions pas pourquoi nous étions là. Le bâtiment appartenait à une société du gouvernement, donc aux représentants de l'armée. Ça ressemblait un peu à un cadeau empoisonné pour nous donner bonne bouche avant que l'entraînement ne débute. Quand j'y repense aujourd'hui, je trouve cet événement particulier en raison de son objectif plutôt nébuleux.

Les officiers nous ont conduits à l'intérieur dans la grande salle à manger. Ce sont les énormes colonnes blanches qui ont attiré mon attention lorsque j'ai passé la grande porte. C'était digne d'une grande salle de bal du château d'un empereur. Il y avait une dizaine de serveurs dans la pièce. Je m'étais surpris à croire que c'était des statues avec des costumes rouges et des serviettes blanches sur le bras. Ils étaient postés à chacune des extrémités de la pièce et ils étaient figés comme des piquets. J'ai sursauté quand ils se sont dirigés vers nous dans un même élan. C'était impressionnant. Nous osions à peine parler, mais nous pouvions entendre des exclamations émerveillées de temps à autre.

On nous a installés. Nous étions quatre à notre table. Fernand était à mes côtés. Je voyais dans ses yeux le même ravissement qui m'habitait à ce moment précis. Il y avait plusieurs ustensiles : trois fourchettes, deux cuillères, deux couteaux. Nous ne savions pas par quel bout commencer, au sens propre. Finalement, nous avons mangé et discuté pendant près de trois heures. Pour moi, c'était le commencement de l'aventure. C'était grandiose, palpitant. J'avais naïvement en tête que la guerre finirait avant que nous nous rendions en Europe. Ce n'était pas un espoir en soi, mais bien ce que je croyais être un fait.

Après le repas, nous avons véritablement quitté pour la base militaire. Je me souviens d'avoir jeté un dernier coup d'œil par-dessus mon épaule pour fixer dans ma mémoire un tableau aussi exceptionnel. Le Château Frontenac allait accueillir plus tard Mackenzie King, Winston Churchill et Franklin D. Roosevelt pour la conférence de Québec de 1943 concernant la stratégie de guerre.

Pour ma part, mon aventure militaire était sur le point de débuter.

Chapitre 3

ENTRAÎNEMENT ET IDENTITÉ MILITAIRES

ENTRAÎNEMENT MILITAIRE À VALCARTIER

Je suis arrivé au camp militaire de Valcartier au cours de la première semaine de février 1942. D'autres camps d'entraînement opéraient au même moment, notamment à Saint-Jean, à Montréal et à Lac-Mégantic. À Québec, nous étions des milliers de soldats : certains venaient de l'Ouest canadien, d'autres, des provinces maritimes. Le camp comptait également des représentants d'ethnies du Nord du Québec et des Grands Lacs. Les soldats qui avaient signé provenaient donc de divers régiments de différentes divisions, dont le Régiment de Maisonneuve, les Fusiliers Mont-Royal et le *Black Watch of Canada*. Pour ma part, j'appartenais toujours au Royal 22e Régiment.

Le terrain d'entraînement était immense. Les baraques sur le site pouvaient contenir près de deux cents soldats chacune. Elles étaient construites en métal avec des portes vitrées à chaque extrémité. Lorsqu'il pleuvait, nous pouvions entendre les gouttes d'eau se transformer en vrais clous au contact des toits d'acier. Les baraques avaient été érigées de façon à former un H, les douches et les toilettes étant situées au centre de chacune d'elles. Les dortoirs étaient meublés de lits à deux étages et j'ai eu la chance d'être assigné à une couchette du bas dès mon arrivée. J'aurais détesté ne pas sentir le sol sous mes pieds au lever...

Même si je me retrouvais dans un endroit qui me semblait très loin de chez nous, ma vie de soldat n'allait pas changer pour autant. Le matin, nous devions faire nos lits de façon à ce qu'il n'y ait aucun pli sur nos draps et nous devions mesurer les replis des couvertures. Si les sous-officiers percevaient une mauvaise technique d'exécution ou la moindre imperfection, ils nous ordonnaient de refaire le lit au complet. On nous disait que, si nous n'étions pas en mesure de faire notre lit correctement, nous n'arriverions à rien sur un champ de bataille. C'était pertinent. Nous devions être très disciplinés. L'entraînement suivait après l'inspection et il pouvait durer entre deux et dix heures. Certains jours, nous restions à l'intérieur; ils étaient consacrés à l'étude, aux manœuvres et à la réparation des armes. Comme à Sherbrooke, nous devions effectuer à répétition des exercices avec toutes sortes d'armes afin d'acquérir une parfaite maîtrise du nettoyage, du chargement, du tir et de la présentation des armes lors des parades. On devait nous rendre aptes à réaliser sans hésitation, rapidement et sans faute, des manœuvres précises dans des conditions de stress.

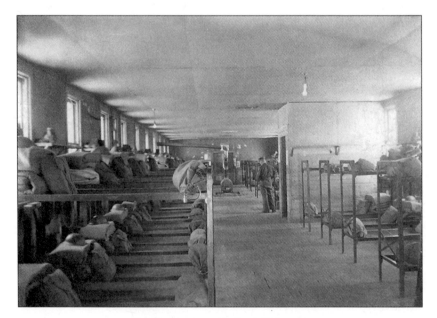

Dortoir du camp militaire de Valcartier
Source : Collection Germain Nault

Des sports comme le hockey ou le baseball faisaient également partie de la routine. Lorsque la journée se terminait, nous devions laver nos bottes, remettre nos vêtements en bon état et prendre notre douche. Rien de vraiment nouveau pour nous.

Dès la première semaine, j'ai accepté le fait que le soldat n'avait généralement pas grand pouvoir décisionnel. Lors des parades du matin, les sous-officiers choisissaient les «volontaires» pour réaliser divers travaux. Il fallait s'exécuter aussitôt sans protester. Durant une courte période, j'ai dû entre autres m'occuper de l'entretien de deux baraques. Il y avait toujours des paresseux qui ne voulaient pas suivre les ordres, des hommes insatisfaits qui se lamentaient constamment en prétendant que les tâches telles que le lavage des toilettes et des planchers ou la préparation des repas étaient ingrates. Ils refusaient alors d'effectuer le travail demandé ou l'exécutaient avec nonchalance. Ces hommes qui ne faisaient pas ce qu'on leur demandait risquaient d'aller en détention ou de faire des travaux supplémentaires. Plusieurs regrettaient déjà de s'être enrôlés. Moi, j'assumais toujours mon choix. Il ne m'est donc jamais venu à l'esprit de me rebeller contre l'autorité militaire.

J'ai fait du drill et de l'entraînement pendant environ deux semaines à la suite de mon arrivée au camp. Mais voilà que, à la mi-février 1942, je suis tombé bêtement sur la glace et me suis blessé à un genou, le même genou qui m'avait causé des problèmes dans le passé. Je me souviens d'avoir eu très mal, la douleur irradiant jusqu'à mon pied. Sur le coup, je pensais m'être fracturé un os. Malgré ma blessure, j'ai tout de même tenté de reprendre l'entraînement le jour même, mais j'avais de la difficulté à suivre le peloton. L'intervention du médecin est donc devenue nécessaire. Le 15 février, un rapport de maladie, le *morning sick report* comme on l'appelait, a été complété, mentionnant que je souffrais d'une névralgie de la jambe gauche. Les matins suivants, je me suis rapporté à la clinique médicale sans rendez-vous du camp. Il était indiqué dans mon dossier que mon cas devait être réglé rapidement.

Germain Nault (assis) avec un confrère à Valcartier
devant la salle des fournaises, 1942
Source : Collection Germain Nault

Le 18 février, j'ai été admis au *Valcartier Camp Hospital* pour une évaluation plus spécifique de ma condition. C'est la docteure Leblond qui a effectué les tests. C'est d'ailleurs elle qui a fait mon bilan de santé des dernières années en tant que civil. Ce qu'elle a inscrit sur mon rapport médical se lit comme suit : *Ça a commencé il y a deux ans par un accident que le patient a eu au genou gauche. Un gros morceau de bois a frappé son genou. Après l'accident, l'articulation a gonflé et le patient a été obligé de rester à la maison pendant deux mois et demi. Après, il a travaillé pendant plusieurs mois, et il sentait toujours une douleur dans son genou. L'hiver dernier, il a dû arrêter de travailler pendant quatre mois parce que son genou était douloureux et qu'il ne pouvait pas marcher du tout. Après, il a commencé à travailler à nouveau et a rejoint l'armée. Quelques jours avant de venir à l'hôpital, il est*

tombé sur la glace. Son genou lui faisait très mal. Il a été dispensé de
service. Il ne pouvait aller avec ses semblables. Son genou était enflé.

Au bout de quelques jours, la docteure Leblond a décidé
de me transférer à l'Hôtel-Dieu de Québec où je suis demeuré
pendant près de trois semaines. J'ai dû passer une multitude de
tests. Les médecins ne doutaient aucunement qu'il y avait un
problème dans mon articulation, mais ils ont décidé de ne pas
investiguer davantage. J'avais constamment la sensation d'avoir
quelque chose qui se déplaçait dans mon genou. Je saurai à
mon retour de la guerre que c'était effectivement le cas; j'avais
un fragment de cartilage logé dans l'articulation, une souris
articulaire, comme on appelle ce phénomène dans le langage
médical.

Malgré une douleur persistante, on m'a retourné au camp
le 3 mars suivant. J'ai pu bénéficier d'une semaine de repos.
Je ne faisais rien. Je m'ennuyais, les journées étaient longues.
J'allais souvent dans les cantines boire des boissons gazeuses et
manger des gâteaux. Après ce temps d'arrêt, les officiers m'ont
demandé si j'étais prêt à retourner à l'entraînement. Je suis allé
voir le médecin le lendemain en espérant du repos de plus, car
je savais que ma douleur m'empêcherait d'exécuter le drill. Le
docteur m'a prescrit des comprimés pour soulager la douleur,
rien de plus. On appelait ça des pilules n° 9. J'ai été obligé de
reprendre les rangs, mais, sans surprise, j'étais incapable de
suivre les autres. Je faisais de l'insomnie la nuit en raison de la
douleur, mais, le jour, j'arrivais à me débrouiller.

Mes débuts dans le transport

Un soir, vers vingt-trois heures, un officier est entré dans la
baraque et est venu directement à mon lit. Il m'a réveillé en me
secouant le bras et en me disant de ne pas faire de bruit. Nous
nous sommes dirigés vers les toilettes au centre de la baraque.
Il a commencé par me dire qu'il avait parcouru mon dossier et

qu'il avait remarqué que j'avais déjà conduit des camions. En effet, même si je travaillais à la *Dominion Textile*, j'offrais mes services de temps à autre à une entreprise du nom de Marquis Transport. Je conduisais de gros camions attelés à une semi-remorque. J'allais chercher du papier à East Angus et je le livrais à Montréal.

L'officier m'a demandé sur un ton plutôt arrogant si je me sentais encore en mesure de poursuivre l'entraînement ou si je préférais partir chez moi pour de bon. Il voulait sans doute tester ma détermination à rester au camp. Je lui ai répondu que je voulais rester, mais que j'aurais aimé faire un travail que j'étais en mesure d'exécuter malgré ma blessure. L'officier a accepté ma demande sur-le-champ. Il m'a ordonné d'aller enlever la neige qui s'était accumulée dans les rues depuis quelques jours. Je n'avais jamais manœuvré une déneigeuse auparavant, mais j'ai acquiescé sans rien dire. Je n'ai pas refait de manœuvres militaires après cette nuit-là. Ma carrière dans le transport militaire venait de commencer.

Au début, je craignais que les autres ne me perçoivent plus comme un soldat. L'entraînement n'était plus obligatoire pour moi et je sentais chez certains une légère frustration. Je pouvais les comprendre. Même si nous voulions devenir de très bons soldats, les efforts physiques à fournir étaient épuisants, irritants aussi à la longue. En même temps, je me disais que le travail qui m'avait été assigné devait être fait par un soldat, et c'était moi qu'on avait choisi. J'ai accepté mon destin. Pourtant, à trois heures du matin, je considérais que de déblayer les rues avec un véhicule dépourvu de chauffage dans lequel on ne voyait rien en raison des fenêtres givrées était une tâche que personne n'aurait dû envier. L'hiver de Québec était terriblement froid. Les camions étaient difficiles à manœuvrer et on était loin du confort des Cadillac. Les jurons devenaient alors un moyen pour m'exprimer.

J'ai donc déblayé les rues jusqu'aux dernières neiges. Cette tâche impliquait un travail de nuit qui pouvait s'étaler sur plusieurs jours. Pour cette raison, il m'est déjà arrivé de devoir demander une exemption des gardes de nuit que les soldats étaient tenus de faire à tour de rôle..

Les tâches que j'avais à accomplir dans le transport étaient loin d'être variées, au début. Le matin, dès la fin des inspections, j'allais travailler dans les hangars. C'était de grandes bâtisses en tôle, assez hautes pour pouvoir y lever des camions avec des ponts élévateurs. Dans le garage, il devait y avoir une cinquantaine de véhicules. Parmi les modèles qui s'y trouvaient, il y avait des 1500, des 3000, des 5000; les chiffres représentaient le poids total en livres que le camion pouvait transporter. Il y avait également des quatre roues, des six roues, des jeeps et des chenillettes d'infanterie qu'on appelait des chars *Bren Carrier*. Ces véhicules étaient utilisés entre autres pour le transport d'armement, le soutien aux opérations et la reconnaissance. Tous de couleur vert kaki, ils n'étaient pas identifiés au régiment associé; seul le drapeau britannique, l'*Union Jack*, était dessiné à l'avant et à l'arrière.

Les véhicules n'étaient jamais tous présents en même temps dans les garages. Certains étaient utilisés pour transporter des soldats à l'extérieur de la ville pour l'entraînement sur les champs de tir, d'autres partaient aux rations[7] ou servaient au transport des officiers à leurs rendez-vous. Je devais effectuer l'entretien de ces véhicules : changer les pneus, vérifier l'huile, l'eau du radiateur, l'essence, les freins… Malheureusement, notre conscience environnementale était moins développée à cette époque. Après avoir nettoyé les camions, nous jetions l'huile et l'essence dans des trous creusés à même le sol.

---

7. Expression utilisée dans le jargon militaire pour parler de la tâche consistant à aller chercher, à l'aide de camions de l'armée, la nourriture en vrac pour la ramener aux cuisines du camp.

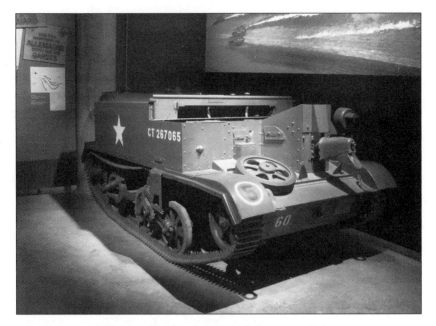

Un Bren Carrier *de la Seconde Guerre mondiale,*
exposé au Musée canadien de la guerre d'Ottawa.
Source : Dickbauch

Parfois, je dois avouer que nous travaillions inutilement. Nous ne faisions rien de bien concret, mais nous semblions travailler; on ne nous posait pas de question, alors. Toutes les semaines, un professeur mécanicien venait nous expliquer les travaux à accomplir quotidiennement sur les véhicules. Il se répétait constamment; il n'y avait pas des centaines de façons de changer l'huile-moteur et de vérifier les freins…

Plus tard, lorsque j'ai acquis un peu plus d'expérience, des tâches reliées au transport se sont ajoutées à mes attributions. J'allais aux rations, par exemple; je devais sortir les sacs de nourriture en vrac des camions qui arrivaient en provenance des grands magasins. En fait, je m'occupais de tous les véhicules qui arrivaient au camp. Il m'arrivait aussi de conduire les officiers lorsqu'ils étaient convoqués quelque part, ou même lors de leurs sorties. Cette tâche me plaisait bien. Parfois, ils se paquetaient la fraise[8], mais ils étaient certains de revenir à bon port avec moi. J'étais l'heureux élu qui avait l'occasion de voir ces officiers, représentants de l'autorité et de la discipline, perdre la carte complètement. Souvent, ils s'endormaient durant le trajet du retour ou ils conversaient avec moi dans un discours plus ou moins cohérent, ce qui me faisait sourire chaque fois.

Une autre de mes tâches consistait à aller chercher des détenus. En fait, certains soldats faisaient du grabuge, le soir, à Québec. Les batailles étaient fréquentes. Naturellement, il n'y avait pas seulement des Québécois au camp de Valcartier. Parfois, les résidants d'une même région s'alliaient et faisaient valoir leurs opinions, qui n'allaient pas nécessairement dans le même sens que celles de leurs interlocuteurs. Des sujets étaient à éviter, dont la politique. Souvent, il n'en fallait pas beaucoup pour que les esprits s'échauffent; il suffisait d'un seul mot ou d'un regard de travers et certains se sentaient déjà attaqués. Les bagarres devenaient alors inévitables, surtout dans un contexte où l'alcool coulait à flots. Les fautifs se faisaient arrêter par la police militaire et c'était avec nos camions que nous allions les chercher à la Citadelle. Je n'étais pas intimidé par ces hommes qui, selon moi, avaient plus de raisons que moi d'avoir la tête basse. Je restais assis dans mon camion et je faisais mon travail. Parfois, il fallait aller chercher plusieurs hommes à la fois. Nous étions deux à l'avant et un dans la boîte du camion. Mon rôle était bien sûr de conduire le véhicule; les deux autres étaient des policiers militaires. Je n'ai jamais été insulté par les soldats détenus parce que je les ramenais au camp sur l'ordre des officiers. Je faisais mon travail et ils le savaient, heureusement.

Lorsqu'un soldat se faisait arrêter, le policier l'amenait devant l'officier commandant pour plaider sa cause et l'adju-

---

8. Expression familière pour dire qu'ils s'enivraient.

dant en charge lui donnait sa punition s'il en méritait une. Plus la faute était grave, plus la sanction était sévère, évidemment. Les officiers se débarrassaient parfois des durs à cuire qui répétaient constamment les manquements à l'ordre. Si la faute était sérieuse, ils étaient dirigés vers le centre de détention qu'on appelait le *clink* et qui pouvait les accueillir un maximum de vingt-huit jours. Là, ils devaient effectuer de lourdes tâches. C'était une bâtisse à part divisée en petites cellules munies de barreaux de fer, comme nous sommes habitués d'en voir dans les prisons. Chacun avait sa cellule. Si la faute était légère, cependant, l'adjudant exigeait des tâches d'entretien à temps plein : assignation temporaire, généralement de trois à quatre jours, pour chauffer les fournaises, travailler dans les cuisines, laver les toilettes ou les douches. J'ai déjà vu un officier faire laver des planchers propres plus d'une fois après avoir marché dessus avec ses bottes pleines de gadoue. Dans ces cas-là, il fallait que les détenus refassent le travail au complet. Les gars devenaient furieux. Les officiers savaient répliquer : « T'aimes pas ça, ici ? Si tu veux qu'on te laisse tranquille, arrête tes niaiseries, c'est tout. »

Une fois, j'ai dû aller chercher un soldat qui devait répondre de ses actes. C'était un Autochtone. On lui a mis les menottes et on l'a installé à l'arrière du camion. Étonnamment, il a réussi à se défaire de ses menottes en les cassant sur la porte arrière. Des dizaines de soldats avaient tenté l'exploit, sans réussir. Cependant, il est resté assis sans tenter de se sauver. Heureusement !

Comme la plupart des Amérindiens qui cohabitaient avec nous, cet homme venait des Grands Lacs, en Ontario. Ces gars-là pouvaient détruire des baraques au complet et ils n'étaient pas faciles à arrêter. La grande majorité était des hommes gros et forts et, quand ils s'enivraient, leur force physique s'amplifiait, alors que leur capacité de réflexion diminuait. Loin de moi l'idée de généraliser et d'affirmer que les Autochtones étaient tous des hommes de cette trempe. Mais je me souviens des ravages survenus dans les baraques la nuit, initiés par ces Amérindiens; c'était plutôt impressionnant. Ce n'était pas toujours des batailles générales, mais de vrais saccages. La maîtrise des délinquants nécessitait l'intervention de la police militaire et de dizaines de soldats. Un pour un, avec eux, ce n'était pas toujours suffisant. Ils étaient capables de poursuivre leurs méfaits avec trois ou quatre soldats sur le dos.

Quand ils se livraient à du vandalisme, ils étaient évidemment punis de la même façon que tous les autres, c'est-à-dire qu'ils subissaient un procès sommaire ou qu'ils passaient devant un tribunal militaire où on déterminait le nombre de jours qu'ils allaient devoir passer en détention.

Divertissement à Valcartier

Il m'arrivait de sortir les soirs en ville avec les autres gars. Je demandais toujours aux mêmes de m'accompagner : Saint-Hilaire, Lacroix et L'Italien, des soldats avec qui je m'étais vite lié d'amitié au moment de mes débuts dans le transport. Nous nous appelions toujours par nos noms de famille. Je ne sais même pas si j'ai déjà su leur prénom. Il n'y avait que Fernand Hains que j'appelais la plupart du temps par son prénom, étant donné notre relation plus ancienne. À Valcartier, il faisait toujours partie de mes bons compagnons, mais nous étions moins souvent ensemble, nos fonctions s'étant modifiées. Saint-Hilaire correspondait davantage à ma personnalité dans ce genre d'activité; c'était un homme marié bien tranquille qui, tout comme moi, préférait le coca-cola à l'alcool. Comme à Sherbrooke, je n'étais pas de ceux qui attendaient avec impatience l'heure où nous pourrions sortir. J'avais du plaisir à voir des gens et à discuter, mais je n'avais pas pour cela le même intérêt que certains de mes compagnons.

L'Italien, Saint-Hilaire et Nault à Valcartier, 1942
Source : Collection Germain Nault

Lorsqu'on était libéré de l'autorité, les vraies personnalités se révélaient et un peu de folie ne faisait pas de tort. L'alcool devenait un exutoire et plusieurs en profitaient. Beaucoup d'entre eux n'ont jamais causé de problèmes et je prenais parfois plaisir à rigoler avec eux. J'appréciais leur attitude décontractée. Pour d'autres cependant, les limites étaient souvent dépassées. La boisson les rendait complètement inconscients de leurs gestes. Je ne comprenais pas pourquoi certains hommes étaient incapables de s'amuser sans boire de façon abusive. Les gars me disaient que ça devait être ennuyant pour moi de passer la soirée sans boire. J'aurais pu leur retourner le commentaire après leur arrestation ou après avoir encaissé un bon coup de poing au visage. En outre, de ne plus se souvenir de sa soirée, c'était plutôt navrant. C'était la différence entre eux et des gens comme Fernand, Saint-Hilaire et moi; puisque nous ne buvions pas, nous ne subissions pas de conséquences.

Lorsque nous étions prêts à sortir, vers dix-neuf heures, les camions de l'armée nous reconduisaient à Québec. Nous allions dans un café où on présentait des spectacles. Les gars aimaient bien aller voir les filles dans le quartier Saint-Roch, là où les jupes étaient très courtes… Nous étions de jeunes hommes célibataires au début de la vingtaine pour la plupart. Ceux qui étaient mariés ne s'empêchaient pas de sortir pour autant. Pour ma part, je n'ai jamais approché une de ces filles. Certaines d'entre elles sont venues me courtiser, mais je ne me rendais jamais dans une chambre à coucher. Certains militaires n'y voyaient rien de mal et ressentaient de la fierté lorsqu'une femme les choisissait.

Nous étions témoins de toutes sortes de péripéties lorsque nous sortions. Un soir, j'ai observé les prouesses d'un soldat autochtone très costaud dans un pub. Les hommes s'étaient rassemblés autour de lui. L'Amérindien s'était penché, mains derrière le dos, pour soulever avec ses dents une table sur laquelle il avait installé près de trente verres remplis de bière. Il s'était levé environ dix secondes et s'était penché de nouveau pour déposer la table sur le sol sans renverser un verre. C'était vraiment impressionnant. Ce même homme a également pris une pièce de vingt-cinq cents entre ses dents et l'a pliée en deux. Il n'avait certainement pas des dents rapportées, celui-là. En repensant à lui aujourd'hui, j'ai toujours en tête l'image du chef Bromden, le géant indien du film *Vol au-dessus d'un nid de coucou*.

La fin de la soirée se devinait lorsque les camions de l'armée venaient nous chercher en ville vers vingt et une heures. Le couvre-feu était à vingt-deux heures et nous devions retourner aux baraquements nous préparer pour la nuit. Le soir, avant de me coucher, j'allais souvent discuter avec les gars que je côtoyais. Je n'étais pas un de ceux qui passaient leur temps à écrire des lettres ou des mémoires. Je n'étais pas doué pour l'écriture; j'avais de la difficulté avec l'orthographe et le choix des mots n'était pas spontané pour moi.

Les soldats provenaient de différents coins de pays et nous avions tous vécu notre jeunesse de façon différente. Aussi, il était instructif de nous raconter nos vies respectives avant l'enrôlement. Nous entendions des histoires de la Gaspésie, du Nouveau-Brunswick, de Québec, de Sherbrooke... Ensuite, nous pouvions aller à la cantine boire un coca-cola ou manger un gâteau et nous jouions aux cartes, à l'argent, par coup de cinq ou dix cents.

Les soirées se ressemblaient et se répétaient. C'était l'armée. Un soir, je me souviens d'avoir consolé un soldat qui disait avoir été complètement déboussolé lorsqu'il avait intégré les rangs de l'Armée canadienne. C'était un dénommé Adam. Il pleurait, assis au bord de son lit. Je le regardais du coin de l'œil, cartes en mains. Nous étions quatre soldats assis en rond sur le lit de

Lacroix. Mes compagnons riaient fort et me poussaient pour que je joue mon tour. J'ai laissé mes cartes sur l'oreiller, faces vers le bas, et me suis levé. Un autre soldat qui regardait notre partie de poker a rapidement pris mes cartes pour poursuivre à ma place.

Je suis allé m'asseoir à côté d'Adam et j'ai allumé une cigarette. Je lui en ai offert une et nous avons commencé à discuter. Il venait du Nouveau-Brunswick. Son accent m'avait attiré dès ma première journée à Valcartier. Il alternait l'anglais et le français dans une même phrase. Il regardait le sol et faisait glisser le bout de ses orteils sur une patte du lit. C'était énervant. Il disait ne pas avoir voulu ce qui lui arrivait. Il avait signé son enrôlement à la suite de son congédiement de l'usine, afin de pouvoir continuer à subvenir aux besoins de sa famille. Ses enfants lui manquaient terriblement et il pensait au service outre-mer qui l'effrayait. Pourtant, la plupart des hommes présents à Valcartier étaient dans la même situation, mais lui, il ne l'acceptait pas du tout. Je l'ai consolé. Cela m'apaisait de penser que je pouvais réconforter quelqu'un. En écoutant ses états d'âme, je me considérais chanceux de ne pas avoir sombré dans l'ennui et le désarroi. J'avais certes des pensées pour ma famille, mais mon esprit était davantage projeté dans le futur à ce stade de mon implication militaire.

Adam et moi sommes devenus amis par la suite et nous nous cherchions durant le jour, comme je cherchais Saint-Hilaire, Hains et Lacroix parmi les multiples gangs du camp. En effet, tout le monde était divisé par catégories : les sportifs, les « courailleux », les mauvais garçons, les intellectuels, les rejets et les baveux à gros bras qui se tenaient dans le gymnase.

Je n'ai jamais déclaré de guerre à Valcartier. Les gens moins sympathiques, je les oubliais, tout simplement. On ne peut pas s'entendre avec tout le monde, surtout dans l'armée, avec les divergences de mentalités des soldats et leur vision personnelle de leur présence, de leur rôle ou de leur statut.

Cependant, ces chers soldats qui se croyaient sur le toit du monde, avec leurs habits kaki et leurs gros bras, tabassaient les plus faibles certains soirs quand il n'y avait pas de surveillant aux alentours. À tour de rôle, nous faisions de la garde la nuit. Malheureusement, nous ne pouvions pas tout voir et il était facile pour les plus forts de faire la loi à l'insu des autres. Certains soldats subissaient les attaques injustifiées des hommes de mauvaise foi. J'avais pitié d'eux. J'ai entendu des soldats pleurer après s'être fait cogner. Pleurer de découragement, d'ennui, de solitude... Ce genre d'incident leur rappelait davantage que le confort de leur foyer leur manquait. J'ai su plus tard qu'Adam était l'un de ceux qui n'avaient pas eu la chance de passer inaperçus. Toutefois, l'univers de recrues parfois injuste dans lequel nous baignions depuis quelques mois allait bientôt changer et nous rapprocher davantage du véritable ennemi...

Chapitre 4

Traversée vers l'inévitable

L'ANNONCE DU DÉPART

Plusieurs hommes étaient déçus du rôle qu'on leur avait fait jouer jusque-là. Les soldats qu'ils étaient devenus ne correspondaient pas à l'image qu'ils s'étaient faite d'eux-mêmes. Il m'est arrivé de faire partie de ces gars qui ne voulaient plus, ou plutôt, qui voulaient plus. C'était parfois pour ces raisons qu'un soldat décidait de partir outre-mer; il savait que c'était périlleux et qu'il pouvait se faire tuer, mais, pour lui, c'était ça, un soldat qui saisissait bien son rôle. Cependant, lorsque l'arrivée de la vraie guerre dans nos vies put se compter en jours, la fierté et l'empressement de combattre et de voir le monde devinrent un peu moins spontanés.

En effet, après près de quatre mois à Valcartier, soit à la mi-mai 1942, les officiers nous ont annoncé qu'il était temps de partir pour l'Europe. C'était maintenant vrai, le jour était arrivé. Nous allions fouler la terre européenne, une terre souillée du sang de milliers de militaires déjà en guerre. Lorsque les mots: «Vous partez dans trois semaines pour l'Angleterre!» avaient résonné dans la pièce, j'avais littéralement senti mon cœur faire un tour sur lui-même. Je lançais des regards à mes compagnons et ils me les retournaient. C'était le signe de notre réelle prise de conscience commune de l'ampleur des événements à venir. Nous ne pouvions dire si nous étions excités ou effrayés. Mais j'avais décidé volontairement de m'engager et j'espérais seulement que tout se passe bien pour mes amis et moi. J'étais nerveux, mais, une fois que je me fus ressaisi, je suis devenu un peu plus confiant. J'avais surtout hâte de voir l'Europe.

Durant les semaines précédant le départ, nous avons logé dans des baraques différentes de celles qui nous avaient été assignées à notre arrivée au camp. Nous y étions moins nombreux et j'en étais plutôt ravi. Elles étaient également pourvues de lits à deux étages et, comme je le demandais toujours, j'avais opté pour le lit inférieur. Pendant ces semaines, nous avons assisté à des conférences sur la vie de soldat en pays étranger. On nous enterrait d'informations, on nous faisait des recommandations, on nous donnait des trucs et des conseils pour faciliter notre avenir militaire outre-mer.

Les officiers commandants et plusieurs vétérans de la guerre 1914-1918 ont prononcé des discours de départ. Nous avions beaucoup de respect pour ces anciens combattants. Ils avaient, pour la plupart, près de cinquante ans et ils étaient toujours dans l'armée. Ils faisaient partie de la *Veteran Guards of Canada*, une unité de vétérans de la Première Guerre qui avait été mobilisée en mai 1940 pour apporter sa contribution à l'Armée canadienne dans le second conflit mondial. Nous savions que ces hommes avaient fait un travail extraordinaire durant la Première Guerre mondiale et ils nous rappelaient ce à quoi nous pouvions nous attendre au front. Ils nous informaient sur la progression des Allemands à ce stade de la guerre, sur les précautions à prendre au front ainsi que sur les stratégies de défense contre l'ennemi.

Ils ne nous parlaient pas des choses horribles que nous risquions de voir. Ils nous confirmaient toutefois que ce ne serait pas une partie de plaisir si nous venions à combattre les Allemands et que les jours sans dormir ni manger seraient fréquents. Ils insistaient précisément sur l'importance d'avoir de l'eau en tout temps.

Ce n'était rien de bien encourageant, tout ça, mais nous avions des informations sur le combat et sur la vie en terre européenne qui nous aideraient à mieux saisir notre futur rôle. Nous allions nous entraîner fort pour affronter la guerre et ils étaient là pour nous le rappeler. Assis sur de petites chaises de bois, nous avons, pendant deux semaines, assisté à ces conférences de médecins, d'anciens combattants et de militaires ayant fait l'entraînement et l'occupation.

Une semaine avant le grand départ, le 6 juin 1942, je suis retourné à Bromptonville visiter ma famille. Nous avions eu une permission pour sortir du camp quelques jours et j'avais saisi cette opportunité. Vêtu de mon uniforme militaire, je pouvais voir toute la fierté qu'éprouvaient mes parents à mon égard; j'en étais ému.

À ce moment, ma famille ne se doutait aucunement que je me préparais à faire un voyage outre-mer. On connaissait mon statut d'enrôlé permanent, mais je n'avais jamais expliqué à mes parents ce qu'il impliquait à plus long terme, c'est-à-dire la possibilité de quitter le Québec pour rejoindre les troupes alliées en Europe. Je leur avais indiqué qu'ils allaient être un certain temps sans avoir de mes nouvelles, puisque j'allais faire des exercices à l'extérieur encore une fois.

J'avais cependant informé mon oncle, Aristide Nault, de mon départ lors d'un arrêt à Saint-Hyacinthe, sur le chemin du retour à Valcartier. Je lui avais fait promettre de ne pas inquiéter ma mère avec cette nouvelle. Elle se serait imaginé le pire et ce n'était pas ce que je souhaitais avant mon départ. La voir triste m'aurait bouleversé et j'aurais trouvé plus difficile de quitter par la suite. J'étais conscient du fait que je risquais de ne jamais revoir ma famille si les feux de la guerre mettaient fin à mes jours, mais c'était une éventualité que je ne souhaitais pas partager avec mes proches. Je n'ai donc jamais regretté d'avoir gardé le silence à ce moment.

*Photo de la famille Nault avant le départ
de Germain Nault pour l'Europe en juin 1942*
Source : Collection Germain Nault

De retour à Valcartier, nous avons finalisé les préparatifs. La veille du départ, il n'y avait plus rien à dire qui aurait pu nous aider davantage. Nous savions à ce moment la date et l'heure où nous devions partir pour l'Europe et ça nous suffisait. Pour le reste, nous nous disions que nous allions l'affronter au moment venu.

La nuit avant de quitter, je me suis entouré des gars que j'avais côtoyés durant mes quatre mois à Valcartier : Hains, Lacroix, Saint-Hilaire et L'Italien. Ils me rassuraient. J'avais bien choisi mes amis là-bas et nous avions tous besoin d'être ensemble, complices et solidaires dans notre avenir incertain. Nous étions quatre et, assis sur un lit, nous avons joué aux cartes pendant une bonne partie de la soirée. À l'exception de ceux de quelques retardataires, nos sacs étaient tous déposés à côté de nos lits, prêts à être emportés.

Je me suis couché tard et je n'ai malheureusement pas pu m'offrir une bonne nuit de sommeil. Évidemment, j'avais la tête pleine de pensées. Je rêvais de l'Europe, mais je songeais également à différents scénarios sombres concernant mon avenir avec les troupes en guerre. Je pensais aussi à la possibilité de me blesser à l'entraînement, de mourir au front ou de perdre un membre de ma famille alors que je me trouverais au loin.

Avoir en tête cette pensée que l'on puisse disparaître loin des siens était plutôt difficile à gérer et je requérais sans cesse la protection du Ciel en cette veille de grand changement. Toutefois, ma difficulté de dormir était principalement causée par des gars qui avaient apporté des cruches de vin dans la baraque. Les lumières étaient toutes allumées, les gars prenaient un coup, ils chantaient, ils riaient fort, ils criaient. Les officiers avaient décidé de faire la sourde oreille et de ne pas punir l'excès. Ce n'était rien de très rassurant en cette veille de départ. Pour ma part, j'avais juste hâte d'être dans le bateau et d'être tranquille.

Des gars pleuraient dans le vacarme que faisaient les soûlons. Ils laissaient une femme, des enfants, une vie parfois satisfaisante. Ils s'étaient enrôlés sans trop le vouloir en pensant gagner un peu d'argent pour mieux vivre, mais ils s'étaient vite aperçus que la vie militaire ne leur convenait pas. Plusieurs voyaient l'armée comme une véritable prison et les officiers comme leurs geôliers. Certains s'étaient enfuis, d'autres s'étaient blessés volontairement.

Un dénommé Fortin faisait partie de ceux qui cherchaient à quitter l'uniforme du soldat. Il voulait se tirer dans un pied et, naturellement, Saint-Hilaire et moi avions essayé de l'en dissuader. Nous croyions avoir réussi. Durant la nuit, il avait englouti plusieurs verres de vin et s'était caché. Il s'est finalement tiré dans la main gauche pour éviter les inconvénients trop importants d'une blessure au pied. Les officiers l'ont envoyé à l'hôpital et je ne l'ai jamais revu. Même, s'il s'était blessé lui-même, Fortin n'est pas allé en prison. On lui a sans doute retiré son admissibilité à la pension de militaire, mais il est retourné chez lui comme il le souhaitait.

Pour ma part, je m'étais engagé et je n'avais pas à blâmer qui que ce soit pour mon geste. J'assumais mes choix. S'il me venait en tête de regretter mon engagement, je me disais que c'était mon problème et que j'allais tout de même respecter ma parole. Je faisais même de mon mieux, comme j'ai toujours fait dans ma vie.

De Valcartier au bateau

Le lendemain 14 juin 1942, le réveil a eu lieu très tôt. Le calme était revenu. Nous devions déjeuner, ramasser nos effets et faire notre toilette avant de quitter les baraques. L'ambiance n'était pas trop gaie. Certains avaient un terrible mal de tête et semblaient épuisés. Il flottait une odeur de taverne dans le dortoir, de quoi donner la nausée aux fêtards. Je cherchais à aller rejoindre les gars plus optimistes. Je n'avais certaine-ment pas besoin de quelqu'un de négatif, prêt à me décou-rager chaque fois que j'ouvrirais la bouche. Avec du recul, je m'étonne d'avoir réussi à rester aussi calme. Je quittais ma famille, mes amis, mon coin de pays, ma langue et mon confort pour peut-être un jour devoir affronter Hitler et ses soldats, et ce, sans avoir de certitude concernant mon éventuel retour parmi les miens. La vie que j'avais menée paisiblement à la campagne jusqu'à mes vingt et un ans n'aurait plus rien à voir avec les mille deux cent quatre-vingt-cinq jours que je devais passer en Europe.

Sacs sur le dos, nous avons marché jusqu'à la voie ferrée de la gare de Valcartier où un train nous attendait pour nous emmener jusqu'au port d'embarquement à Halifax. C'était le *Canadian Pacific Railway* (CPR). Le CPR participait à l'effort de guerre depuis le début en transportant des troupes et de la marchandise d'un bout à l'autre du Canada[9]. Nous étions des centaines de militaires du camp de Valcartier, des Voltigeurs de Québec et du Régiment de Lévis, entre autres. Je me trouvais avec Hains, Lacroix et Saint-Hilaire. Dans le tourbillon engendré par notre départ, je n'avais malheureusement pas pu faire mes adieux aux autres gars que j'avais côtoyés à Valcartier.

Nous avons déposé nos sacs dans la voiture à bagages. Ils renfermaient des outils, des munitions, des gamelles ainsi qu'un *kit bag*, une poche contenant nos vêtements, et notre « cercueil », une couverture dans laquelle on nous enveloppait si nous mourions au front. Je demeurais confiant qu'elle resterait à jamais dans mon sac. Une fois installés dans le train, nous étions impatients de quitter les lieux.

Durant le trajet, nous n'étions pas installés pour nous assoupir. Les sièges à quatre-vingt-dix degrés ne s'inclinaient pas et étaient trop fermes. Par contre, les bancs étant face à face, nous pouvions jouer aux cartes. Mes amis et moi, nous en avons profité pour nous changer les idées, alors que d'autres restaient dans leur coin à penser, à regretter, à s'ennuyer ou à s'impatienter. L'absence de musique dans le train n'aidait en rien à alléger l'ambiance. Plusieurs soldats grillaient une cigarette pour passer le temps et faire croire qu'ils étaient occupés. Il faut dire que je pouvais compter sur les doigts de mes mains les hommes qui ne fumaient pas. Fumer était à la mode à l'époque. Il nous était facile de nous procurer des cigarettes. Notre statut de soldat nous permettait de nous en acheter en vrac à rabais. Nous pouvions en avoir par paquets de cent cinquante, cinq cents ou mille cigarettes à la fois. Dans

---

9. Canadien Pacifique. *Survol historique : Effort de guerre*, 2012, www.cpr.ca.

le train, même pour un fumeur comme moi, il y avait de quoi éprouver des malaises à respirer tant de fumée secondaire. Pour les repas, nous ne pouvions pas nous attendre à un festin, mais nous avons tout de même été satisfaits.

La durée du trajet en train a été de près de vingt heures. La voie régulière était encombrée par le transport de marchandises comme les munitions et les véhicules. Nous ne pouvions être sur la grande voie tout le temps, ce qui a prolongé notre parcours. Nous avons dû patienter plusieurs fois sur la voie d'évitement. Nous avons fait une halte à Truro en Nouvelle-Écosse où nous sommes restés plusieurs heures. C'était long et nous devenions impatients.

Arrivés à Halifax, nous avons dû attendre les ordres avant de sortir du train. C'était le début de l'après-midi et le soleil se cachait derrière les nuages. Quand nous avons pu enfin descendre après environ trente minutes d'attente, nous avons aperçu la passerelle menant sur le bateau à moins de cent mètres. J'en étais bien heureux. Le moment venu, nous avons reçu l'autorisation de monter à bord du *Letitia II*. Mis à l'eau en 1925, le navire avait été réquisitionné pour transporter les troupes d'Halifax à Glasgow, en Écosse. Il servirait de navire-hôpital en 1944. Plusieurs hommes s'y trouvaient depuis quelques jours, attendant que d'autres troupes s'installent à bord. Les soldats provenaient de divers régiments partout au Canada et arrivaient à différents moments. Nous avons eu de la chance de ne pas devoir attendre le départ, contrairement à plusieurs autres.

Déjà, les hommes de Valcartier avaient été séparés. J'avais de bons amis dans ce groupe, mais le cordon n'a pas été si difficile à couper. J'avais espoir de les revoir sur l'autre continent.

Traversée de l'Atlantique

Le bateau a largué les amarres quelques heures après

notre arrivée. Nous sommes partis sur l'heure du souper, trois bateaux de front, assez éloignés les uns des autres. En plus des bateaux transportant les soldats, il y avait des destroyers. Il s'agissait de petits navires de guerre conçus pour l'escorte de bateaux ou la défense de zones militaires. On leur assignait généralement des missions de patrouille maritime le long des côtes, de lutte aux sous-marins ou d'éclairage. Ils étaient faiblement blindés, mais généralement très bien armés avec leurs lanceurs de missiles et de torpilles. Les destroyers allaient être nos anges gardiens tout au long de la traversée.

À bord, ce n'était évidemment pas le confort des bateaux de croisière. Nous étions certainement une centaine dans le dortoir mal ventilé où je me trouvais. Nos hamacs se balançaient au rythme de la houle. En ce 15 juin 1942, ce n'était pas très chaud sur l'eau. Il ventait, l'air était salé et le ciel, couvert de nuages.

Nous ne sommes pas allés bien loin. Il a fallu rebrousser chemin en raison de la menace incessante que représentaient les sous-marins allemands qui sillonnaient l'océan Atlantique. C'était la première fois que nous nous retrouvions en face du danger, de l'ennemi. Curieux, nous arpentions le navire pour tenter d'apercevoir les submersibles. Le profil des sous-marins allemands les rendait invisibles depuis la surface de l'eau. Par ailleurs, nous savions qu'ils n'attaquaient pas le jour. Au cours de notre préparation à Valcartier, nous avions entendu parler de la bataille de l'Atlantique qui sévissait depuis le début de la guerre. La force navale allemande causerait beaucoup de dommages à la flotte marchande alliée durant le conflit, leur but étant principalement de détruire les convois maritimes et d'empêcher l'approvisionnement de l'Europe par l'Amérique. Nous devions faire demi-tour par précaution. Le bateau dans lequel je prenais place était plus petit que les autres. Il a donc été plus facile pour nous de faire volte-face et de revenir sur nos pas. Lorsque la voie fut libre, le lendemain, nous avons repris notre route vers Glasgow.

Il n'y avait pas d'activités organisées sur le bateau. Les directives pour aller manger étaient données par les officiers. À notre arrivée sur le bateau, on nous distribuait à chacun une carte qui nous indiquait la salle où nous devions aller prendre nos repas tous les jours ainsi que les heures qui nous étaient assignées pour se sustenter. Nous mangions seulement deux fois par jour, mais nous étions bien nourris. On nous offrait un déjeuner et un souper. Nous jouions aux cartes tous les jours. C'était la seule activité qui nous permettait de passer le temps.

Nous ne dormions presque pas. Nous pouvions rester debout toute la nuit si nous le voulions, il n'y avait pas de restriction concernant les heures de sommeil. De toute façon, c'était difficile de dormir avec les hamacs qui se balançaient, le bruit des vagues qui frappaient contre la coque ou les chuchotements des hommes qui ne dormaient pas. Cependant, dès que le jour se levait, nous pouvions entendre les cornemuses de certains membres du *Black Watch*, un régiment écossais du Canada.

Après quelques jours, nous étions plutôt blasés et cette musique criarde nous agaçait. On entendait des soldats se plaindre : « Est-ce qu'on leur ôte leur maudite patente ? » Pour ma part, lorsque leur mélodie se faisait entendre, j'étais déjà réveillé depuis bien longtemps, soit depuis quatre heures trente la plupart du temps. Non seulement les cornemuses ne me dérangeaient pas, je me reposais aussi des ivrognes puisqu'il n'y avait pas de boisson à bord du bateau. Certains devaient être désappointés, c'est certain.

Durant la traversée, je crois que je ne me suis lavé qu'une seule fois. Nous n'avions qu'un seul habit et nous ne l'avons jamais nettoyé. C'était une épreuve pour moi qui étais habitué à prendre ma douche tous les jours et même deux fois par jour. Certains ne s'en formalisaient pas. Cependant, durant la guerre, nous serions continuellement réduits à une hygiène corporelle minimale, sinon inexistante, et nous finirions tous par nous y habituer.

Arrivée en Angleterre

Notre voyage en mer a duré huit jours. Nous avons eu du beau temps et avons franchi l'océan aisément. Nous sommes arrivés à Glasgow en Écosse vers vingt-deux heures le 23 juin et il faisait toujours clair. Si je m'en rappelle, c'est que j'avais été étonné de pouvoir encore lire le journal sur le pont à cette heure de la journée; les nuits sont très courtes dans cette région de la planète, durant les mois de juin et de juillet surtout.

Le débarquement s'est fait par vagues; les groupes étaient désignés par un numéro. Les officiers annonçaient d'avance l'heure du débarquement de chaque groupe qui se dirigeait le moment venu vers le train qui allait le mener au camp militaire d'Aldershot en Angleterre. Nous étions des milliers dans ce bateau et une telle procédure était indispensable.

Il y avait toujours quelqu'un pour nous guider. Tout était prédéterminé, structuré, organisé; c'était l'armée. Je suis resté presque une journée complète sur le bateau avant que mon groupe ne soit nommé. Je faisais partie des soldats des dernières vagues qui mangeaient, lisaient et jouaient aux cartes en attendant leur tour. Enfin, le numéro de mon groupe a été crié en anglais par un haut-parleur. J'ai mis les pieds sur la terre européenne pour la première fois le 24 juin 1942.

Une fois débarqués du bateau, nous avons gagné un train dans lequel on nous a servi un bon repas. Ce n'était pas un train comme celui que nous avions pris pour nous rendre à Halifax;

il était beaucoup plus petit. Le trajet jusqu'à Aldershot m'a semblé terriblement long. Je regardais sans me lasser par les fenêtres d'un côté et de l'autre du wagon pour admirer le paysage écossais. À travers toutes ces nouvelles images, j'ai d'abord remarqué les multiples cheminées sur les maisons. Une toute petite maison pouvait disposer de plus de trois cheminées. On n'avait évidemment pas de système de chauffage électrique; il y avait un foyer dans chacune des pièces, comme dans certaines maisons d'époque chez nous. S'il y avait cinq pièces, il y avait cinq cheminées. Il faisait rarement plus de vingt degrés Celsius en Angleterre, même l'été, mais par chance, il ne faisait pas très froid l'hiver et la neige se faisait rare.

Quand nous sommes arrivés à la gare, on est venu nous chercher en camion pour nous transporter au camp militaire. Une fois de plus, certains soldats nous ont quittés. Chacun allait où il fallait, au moment déterminé. J'avais perdu de vue des compagnons du Québec depuis quelques jours. J'étais peiné par cette séparation, mais je m'y attendais tout de même. Je trouvais difficile d'avoir de moins en moins d'amis dans ma progression vers l'inconnu, mais j'étais confiant de renouer des liens aussi solides en Europe.

Mon groupe et moi avons donc été déposés au camp militaire d'Aldershot. C'était un camp de la guerre précédente. À cette époque, il était reconnu comme le plus grand camp militaire au monde. Il était immense; rien à voir avec le camp de Valcartier. Il pouvait contenir plus de vingt-cinq mille hommes. Les baraques étaient toutes semblables et nous pouvions en compter des centaines. Il y avait de grandes salles et un grand terrain pour l'entraînement. C'était gigantesque, grandiose. Il y avait des bâtisses à trois ou quatre étages. Nous pouvions être quelques milliers dans un même réfectoire. Nous mangions par groupes à des heures précises dans de petites salles séparées.

Dans la section du camp où j'étais, on ne comptait que des Canadiens. Des militaires anglais et australiens s'entraînaient également à Aldershot, mais leurs baraques n'étaient pas à proximité des nôtres. Presque tous les soldats alliés arrivaient en Europe en passant par le camp militaire d'Aldershot. Certains y restaient à l'entraînement quelques semaines seulement, d'autres plusieurs mois. Ils étaient ensuite répartis dans les divers régiments. Pour ma part, j'y suis resté environ trois semaines.

Dès mon arrivée au camp, j'ai écrit à mes parents pour leur donner de mes nouvelles. C'est à ce moment que je les ai informés de mon transfert en Europe. Je tenais à leur annoncer moi-même la nouvelle, même si je la leur avais cachée jusquelà. Sans doute les familles de certains soldats de Bromptonville avaient-elles commencé à faire circuler la nouvelle de notre arrivée en terre européenne. Dans ce petit village, les nouvelles se propageaient rapidement et je ne voulais pas que mes parents finissent par apprendre mon départ d'un voisin. Je ne pouvais différer plus longtemps de les informer, mais je n'osais néanmoins imaginer leur réaction quand ils me sauraient de l'autre côté de l'Atlantique, si près du conflit dont toute la population du monde suivait les péripéties avec inquiétude.

Je devais m'attendre à ce que ma lettre tarde à arriver à la maison. Le courrier pouvait mettre plus de dix jours avant de se rendre à destination. De plus, après avoir vu ma famille pour la dernière fois au début de juin, j'avais passé une semaine à Valcartier et une autre sur l'eau, si bien que près d'un mois se serait écoulé avant que mes parents aient de mes nouvelles. La première chose que j'ai écrite, ce fut la phrase suivante : « Ne soyez pas inquiets, ça va bien, la santé est bonne. » Je leur ai également annoncé que j'avais ouvert un compte à leur nom dans lequel je versais la moitié de ma solde de militaire pour les aider. J'imaginais ma mère qui cacherait son inquiétude pour son fils aîné, mais mes sœurs me diraient quelques années plus tard que l'arrivée du facteur à la maison était un événement en soi. Ma mère le guettait à la fenêtre et, avant même qu'il frappe, elle ouvrait la porte avec vigueur, au risque que le battant frappe l'homme au visage. Lorsqu'elle lisait une de mes lettres, elle devenait forcément très émotive. Cela se concevait, étant donné les longues périodes d'attente qu'elle devait supporter, mais à laquelle elle devrait se faire, car mon absence de la maison familiale allait s'avérer beaucoup plus longue qu'elle ne pouvait l'imaginer.

Chapitre 5

TROUPES EN TERRE D'ACCUEIL

ENTRAÎNEMENT MILITAIRE EN ANGLETERRE

Mes débuts en Europe n'ont pas été trop pénibles. Je reprenais mes bottes de soldat dans un endroit inconnu qui ne ressemblait à aucun des milieux que j'avais visités jusque-là, et pourtant je m'y adaptais très bien. Je me considérais comme privilégié de pouvoir admirer les paysages de cette région de l'Europe. Par contre, à Aldershot, nous devions nous astreindre à un entraînement beaucoup plus difficile qu'à Valcartier. Nous avions intégré les mitrailleuses au maniement des armes à feu. Le peu de temps que j'y suis resté, j'ai trouvé ça plutôt exigeant. Comme dans tous les camps militaires, les officiers effectuaient des inspections quotidiennement. Je n'étais pas affecté au transport comme à Valcartier; j'effectuais le drill comme les autres.

Dès le début, les avertissements avaient commencé à pleuvoir. Par exemple, il ne fallait pas sortir seul le soir dans la ville parce que nous pouvions nous perdre et ne pas être en mesure de retrouver notre camp. On nous avait avertis des dizaines de fois. Effectivement, retrouver son chemin en ville n'était pas chose facile; les rues, les maisons, tout était pareil. De plus, les noms des rues n'étaient pas simples à mémoriser. Nous n'étions pas tous familiers avec la langue anglaise et les rues portaient des noms souvent difficiles à prononcer.

Je suis tout de même sorti quelques fois le soir à Aldershot. Je profitais des périodes de congé pour me familiariser avec le voisinage du camp. Il fallait environ trente minutes pour aller en ville à pied. Dans ce temps-là, marcher faisait partie de notre routine quotidienne; ce n'était donc pas un problème pour nous. Après dix-sept heures, nous pouvions sortir et le couvre-feu était à vingt-deux heures. Rien de nouveau. Il fallait faire attention où nous allions, parce qu'il faisait très noir dans les rues. Par mesure de sécurité en cette période de guerre, on allumait le moins de lumière possible dans les villes. Comme à Valcartier, les soirées se ressemblaient. Nous sortions dans les pubs la plupart du temps et nous socialisions. La ville d'Aldershot n'offrait pas beaucoup de divertissements. Il n'y avait rien de vraiment exaltant, mais sortir nous aidait parfois à garder le moral.

Germain Nault à son arrivée en Angleterre, 1942
Source : Collection Germain Nault

Les mauvaises habitudes de certains ne s'étaient pas dissipées avec le voyage et nous devions côtoyer des soldats à la gueule de bois les lendemains au camp. C'était inévitable, il ne fallait pas s'en étonner.

Au début, je ne savais pas le nom des gars avec qui je passais la soirée, mais cela a vite changé. L'armée était notre noyau familial. Près de six mille kilomètres d'eau nous séparaient des nôtres et notre seul moyen de communication avec eux était des lettres qui prenaient près de deux semaines à arriver à destination et qui risquaient de se perdre dans le transport. Il était donc normal de s'attacher rapidement à n'importe qui. Nous étions tous dans le même bateau et nous ressentions tous à peu près les mêmes émotions. Nos frères d'armes devenaient notre famille et rares étaient ceux qui ne partageaient pas ce sentiment. Nous nous côtoyions vingt-quatre heures sur vingt-quatre et nous étions irrémédiablement coupés de nos proches et poursuivis par la crainte de ne plus les revoir. Nous éprouvions les mêmes cafards et les mêmes angoisses. Jamais personne ne m'a repoussé lorsque j'étais en Europe. J'allais parler à un inconnu, j'entamais une conversation avec lui et il ne semblait jamais indisposé.

Certains étaient établis à Aldershot depuis un bon moment déjà. Je voulais évidemment en savoir plus sur ce qui m'attendait et il m'arrivait de demander des informations sur le fonctionnement du milieu. J'essayais également de me renseigner sur tout ce qui concernait le transport et sur les cours qui pourraient m'intéresser. Nous ne parlions que très rarement de nos vies d'avant l'armée et de nos familles. Je crois tout simplement qu'il n'y avait pas de rapprochements assez significatifs à ce stade pour nous permettre une telle liberté du cœur. Nous parlions de la guerre et de notre expérience. Nous étions là pour apprendre à nous défendre et à avancer. De toute façon, à Aldershot, c'était une vraie pagaille. Des soldats arrivaient et repartaient dans la même semaine. Nous pouvions reconnaître des visages une journée, mais ne plus les revoir le jour suivant. D'autres les remplaçaient. C'était quand nous entrions dans la salle à manger que nous le remarquions davantage. Nous n'avions alors plus vraiment de repère et c'était un peu déprimant.

Pendant deux semaines, j'ai donc fait de l'entraînement, comme tous les autres, mais, une fois de plus, j'ai connu des difficultés. J'étais incapable de participer aux exercices au Canada et je n'étais pas plus en mesure de le faire en Angleterre. La douleur à mon genou persistait depuis Valcartier et ne s'était pas dissipée. J'essayais tant bien que mal de la taire, mais je ne souhaitais pas que ça devienne insupportable. J'ai donc demandé à voir le médecin. En toute honnêteté, je dois dire qu'une partie de moi avait espoir que ce mal pourrait me ramener à la maison. Je n'ai jamais eu honte d'avoir pensé ainsi à ce moment précis.

Cet aveu pourrait faire croire que je feignais d'avoir mal, mais ce n'est véritablement pas le cas. La douleur que j'éprouvais me paralysait réellement. Néanmoins, ma motivation était moins grande à ce moment-là. Même si la fébrilité que m'inspirait la découverte d'un nouveau continent était toujours présente, je voyais bien que cette nouvelle étape d'entraînement ne serait pas une partie de plaisir. Je n'avais pas nécessairement l'ambition de me rendre jusqu'au front. Nous n'étions plus en contact avec les nôtres et les jours étaient interminables. Rien pour nous remonter le moral… La manière dont les officiers nous traitaient rendait nos journées très difficiles. Ils étaient de plus en plus sévères. L'illusion du petit voyage de plaisir que nous nous étions imaginé lorsque nous étions au camp de Sherbrooke s'était résolument estompée. J'ai donc pensé que le médecin allait peut-être me renvoyer au Canada. Il n'a pas été de cet avis.

J'ai été une semaine à ne rien faire, seul dans la baraque à me tourner les pouces pendant que les autres soldats s'entraînaient. Je ne pouvais aller en ville, car on me disait que, si j'étais capable de marcher jusque-là, j'étais apte à faire les exercices. Je devais garder cela en tête, même si je savais qu'il y avait une différence entre les deux. C'était long et j'étais un soldat superflu dans un groupe qui travaillait fort. Parfois, je prenais une chaise et j'allais m'installer sur le terrain où les gars faisaient du drill et je les regardais faire.

Au bout de cette semaine, je suis finalement allé voir un autre médecin, accompagné du médecin du camp. Après avoir écouté mes explications, il m'a donné un papier à transmettre à mon officier responsable. Le lendemain, après le déjeuner, ce dernier m'a demandé de le suivre. J'étais content, il parlait français. « Soldat Nault, vous êtes incapable de faire de l'entraînement? » m'a-t-il demandé. Un frisson m'a traversé le dos. Je me suis dit que ça y était, je m'en allais. J'ai répondu par l'affirmative et on m'a interrogé sur mon expérience en tant que chauffeur. J'ai alors su que le Régiment de la Chaudière aurait davantage besoin de mes services que le Royal 22e Régiment. Les officiers ont donc convenu que j'étais un bon candidat pour œuvrer au transport dans ce régiment.

Mon destin venait de prendre une autre voie. Si j'avais à demeurer en Angleterre et à poursuivre mon service militaire, je préférais reprendre le volant. J'aimais jouer avec les grosses bibittes, comme j'appelais les véhicules de l'armée. Ça me plaisait bien de savoir que j'allais contribuer à l'effort de guerre en conduisant des camions et en transportant du matériel et des munitions. De plus, des gars que j'avais côtoyés à Valcartier avaient signé pour ce régiment et j'allais les retrouver. J'étais soudain plus courageux. Ma perception de mon implication militaire devenait beaucoup plus positive.

L'officier m'a ordonné de ramasser mes affaires et m'a informé du nom de la personne qui viendrait me chercher en camion, ainsi que de la date de mon départ pour le Régiment de la Chaudière, soit trois ou quatre jours plus tard. Il m'a donné un mémo qui me permettrait de me rapporter à l'officier de transport en service en arrivant là-bas. Je n'avais alors aucune idée de l'endroit où j'irais. J'ai suivi.

Mon transfert au Régiment de la Chaudière

La nuit précédant mon départ, je n'ai pas fermé l'œil. J'étais nerveux, mais surtout préoccupé par le fait que mon plan de réaffectation pouvait changer d'un instant à l'autre. Heureusement, tout s'est déroulé comme prévu. À la fin de juillet 1942, j'ai rejoint la compagnie de support du Régiment de la Chaudière appartenant à la 8e brigade de la 3e division d'infanterie canadienne. Comme son nom l'indique, cette compagnie offrait un soutien précieux aux troupes et était composée de militaires œuvrant principalement dans le transport, mais qui remplissaient également des rôles de brancardiers, de signaleurs, de cuisiniers et de commis de bureau.

Je me suis rapidement lié d'amitié avec des soldats du Régiment. Là aussi, c'était comme une famille. Les quartiers des Chauds, comme on appelait les militaires de ce régiment, étaient établis à Pevensey, une ville située à cent vingt kilomètres au sud-est d'Aldershot. Je me plaisais beaucoup avec ce Régiment de la Chaudière, où je retrouvais Lacroix et Hains qui, à mon plus grand bonheur, y étaient attachés aussi. Cela me réconfortait; je restais avec mes bons amis. Le sentiment de se savoir familier avec certaines personnes était un baume réel sur notre perpétuelle appréhension. J'ai toutefois perdu de vue Saint-Hilaire dès ce moment. Je devais m'attendre à être séparé de l'un d'eux ou même des trois un jour ou l'autre…

Dès mon arrivée dans les baraques, j'ai fait la rencontre du soldat Neault, que je surnommais Ti-Pat. J'ai fraternisé tout de suite avec les soldats Castilloux et Raymond, originaires de la Gaspésie, qui deviendraient mes meilleurs amis et qui le resteraient jusqu'à la fin de mon implication dans l'Armée canadienne. Tout comme moi, ils occupaient des fonctions dans le transport. Plus tard, on nous appellera les trois mousquetaires tant notre complicité deviendra reconnue.

Les trois mousquetaires : Castilloux, Nault et Raymond
Source : Collection Germain Nault

Je voyais occasionnellement les gars dans les baraques, mais trop peu souvent à mon goût. Parfois, nous mangions ensemble ou nous nous voyions le soir, lors de nos activités avant le couvre-feu.

Mon travail dans le transport me plaisait beaucoup. Comme à Valcartier, je devais souvent aller reconduire des officiers à leurs réunions ou en ville. Évidemment, je ne pouvais jamais laisser mon camion sans surveillance. Si je conduisais un officier ou des soldats en ville, je devais y passer la soirée. J'ai dû développer ma patience.

Je suis devenu en quelque sorte le chauffeur attitré du major Lapointe, commandant de la compagnie A. Je crois qu'il m'appréciait beaucoup puisqu'il ne demandait jamais personne d'autre que moi comme conducteur. J'étais disponible en tout temps, car je ne consommais jamais d'alcool. J'avais également un très bon sens de l'orientation, ce que le major savait reconnaître. Je n'avais toutefois pas la mémoire des noms de rues de cette ville anglaise. J'étais incapable de les prononcer. Ma force, c'était les « à droite, à gauche, tout droit, deuxième rue… ». Une autre de mes tâches consistait à conduire des soldats vers un autre camp, comme à Eastbourne, par exemple. Là-bas, ils effectuaient la garde autour des installations. Je devais également aller porter de la nourriture à ces gardiens vers minuit.

Lors du raid de Dieppe du 19 août 1942, soit environ un mois après mon arrivée au Régiment de la Chaudière, j'ai offert une aide de second plan, une participation qui aurait pu véritablement me placer devant les tirs ennemis pour la première fois. En effet, j'ai dû approvisionner en munitions les bateaux qui se rendaient à Dieppe. Pour exécuter le travail, une vingtaine de véhicules avaient quitté Hurstpierpoint, l'endroit où le Régiment de la Chaudière était établi à ce moment-là. Il nous a fallu près de trois jours pour accomplir nos tâches.

Pendant que nous nous affairions, un officier en moto a surgi près de nous et nous a ordonné de quitter les lieux et de nous séparer. Il fallait nous sauver et retourner au camp sur-le-champ. Une menace allemande avait été annoncée et on craignait un bombardement sur nos positions. Nous avons attendu au port que les bateaux viennent chercher les munitions, mais ils ne se sont jamais présentés; ils avaient pour la plupart été coulés, nous a-t-on dit. Nous avons donc fait demi-tour et sommes retournés au camp. Ce fut ma brève et modeste contribution à la bataille de Dieppe...

Pendant les mois suivants, on nous a submergés d'informations théoriques sur le combat. Entre autres choses, on nous apprenait les «lois de la guerre», dont celle dictant que nous n'étions pas censés tirer sur un prisonnier ou sur un soldat exhibant un drapeau blanc, symbole de capitulation. Évidemment, cette règle ne sera pas respectée à la lettre par tous, mais les manquements seront considérés comme des crimes de guerre.

Au cours de ma formation, je n'ai pas eu le sentiment d'avoir été endoctriné contre les Allemands. Au contraire, on nous mettait dans la tête qu'ils étaient assez braves et rusés pour remporter cette guerre. On nous vantait leur capacité militaire et nous savions pertinemment que nous allions combattre un ennemi redoutable qu'il ne fallait surtout pas sous-estimer. Les Allemands disposaient d'un très bon équipement. Or, le clan le plus efficace sur le plan stratégique ou le plus imposant en effectif militaire avait davantage de chance de remporter une bataille. «Au plus fort la poche», disait-on. Il fallait être bien préparés pour surpasser l'ennemi.

Notre entraînement devenait de plus en plus spécifique et nous exécutions différents exercices en situations réelles. Nous avons navigué sur la Manche, mer située entre la France et l'Angleterre, afin d'y simuler des débarquements. Nous répétions notamment l'embarquement et le débarquement du bateau avec nos véhicules. Un jour, nous allions devoir réaliser toutes ces manœuvres dans un véritable contexte de guerre, en face de l'ennemi. Nous avions toujours cette idée en tête à chaque simulation, à chaque débarquement. On tâchait de nous mettre en situation de la façon la plus réaliste possible. Nous apercevions les plages qui délimitaient la côte française et les gens qui s'y trouvaient. Chaque fois, je me disais que c'était la bonne, que nous allions débarquer pour combattre. Nous devions tromper l'ennemi.

Nous devions aussi nous exercer au déplacement de convois. Les officiers nous donnaient une carte et nous ordonnaient de nous rendre à un endroit spécifique. Les consignes étaient très sévères; nous devions compléter l'exercice dans le délai imposé. Il fallait préparer notre convoi et rassembler rapidement nos véhicules sur lesquels était peinte l'étoile blanche à cinq branches associée au matériel allié. Un convoi pouvait en réunir des centaines de toutes sortes et s'étaler sur quinze kilomètres. Cet exercice s'avérait très périlleux. Les véhicules lourds étaient moins rapides et ne pouvaient rouler qu'à vingt-cinq kilomètres à l'heure, ralentissant inévitablement ceux qui suivaient. Le dernier de la file était parfois immobilisé pendant dix à vingt minutes avant de se remettre en marche. D'autres fois par contre, il devait augmenter sa vitesse à cent kilomètres à l'heure pour rattraper le convoi. Lors de ces exercices, je conduisais un camion. Nous allions souvent sur des terrains en mauvais état, où il m'arrivait de m'enliser dans la boue, ce qui m'a fait sacrer plus d'une fois.

À force d'exercices, nous avons mis notre endurance à l'épreuve. Le temps pour manger venait parfois à manquer, car les objectifs devaient être atteints avant qu'on songe à se reposer. Pour des raisons de sécurité, lors des manœuvres, le Régiment était souvent divisé en plusieurs groupes répartis à des endroits différents. Les exercices de guerre ne devaient pas être exécutés de façon routinière sur un même terrain, c'était pour cette raison que le régiment se déplaçait régulièrement. On ne voulait pas que les soldats s'habituent au lieu; ils devaient développer au maximum leur capacité d'adaptation. Mais cela n'était pas un problème, puisque nous nous lassions rapidement d'être au même endroit.

Lors des déplacements, nous pouvions être environ mille soldats dans les campements. Nous étions logés dans des tentes en toile et chacune d'elles pouvait abriter huit gars. L'humidité qui y régnait était très incommodante. Nous accrochions nos paillasses et nos couvertures sur les poteaux qui soutenaient la tente pour tâcher de les garder sèches. L'espace manquait. En raison du temps plutôt pluvieux de l'Angleterre, nous avons décidé de creuser un fossé autour de la tente pour éviter que l'eau ne s'infiltre à l'intérieur. Des toilettes portatives étaient mises à notre disposition, mais il y avait également des trous creusés dans la terre pour nos besoins. Ils étaient emplis de chaux, qui servait de désinfectant.

Durant les deux années que nous avons passées en Angleterre, nous n'avons pas eu de contact direct avec l'ennemi. Toutefois, quand nous nous rendions à Londres pendant nos journées de congé, il ne s'en passait aucune sans que les sirènes se fassent entendre pour signaler le passage d'avions allemands. Civils et militaires devaient alors entrer dans le métro, même en plein jour, pour se protéger. Le bruit des sirènes résonnait dans toute l'Angleterre. Le son provoquait la panique à tout coup. Les gens couraient dans tous les sens et certains se blessaient en dévalant les escaliers du métro. La plupart du temps, il s'agissait d'avions de reconnaissance qui ne bombardaient pas la ville, mais j'avais toujours une même sensation de chute dans le vide chaque fois qu'un appareil passait au-dessus de ma tête. J'arrêtais de respirer et parfois même de bouger. J'appréhendais également les réactions de la foule prise de panique; je craignais la folie humaine encore plus que les explosions.

Quand les avions étaient passés, la sirène retentissait à nouveau et nous pouvions évacuer les métros. Parfois, des militaires s'offraient pour porter secours aux civils et aider les pompiers et les policiers de la région à sécuriser les lieux. Un couvre-feu avait été établi pour les civils : vingt-deux heures. Nous devions donc rentrer au camp et toutes les lumières étaient éteintes. La nuit, les villes étaient inanimées. Le soldat qui ne respectait pas les consignes de sécurité était passible d'une amende. Tout au long de notre entraînement en Angleterre, nous avons constamment été sur nos gardes. Il était vraiment angoissant de voir des avions ennemis voler au-dessus de nos têtes. Nous ne savions jamais s'ils attaqueraient ou non. Il ne fallait jamais sous-estimer les intentions de l'ennemi... On nous l'avait maintes fois répété.

En novembre 1942, durant un exercice de tir de mortier, un événement malheureux nous a permis de constater que les tirs ennemis n'étaient pas les seuls qui pouvaient nous être fatals. En effet, une erreur de manœuvre a coûté la vie à deux hommes du Régiment ce jour-là. La base du mortier n'avait pas été bien ancrée dans le sol, l'arme avait bougé et le boulet n'avait pas été lancé dans la direction prévue. L'obus était allé heurter un fil électrique et une explosion avait causé la mort des deux soldats. Je faisais partie de cet exercice nommé Hattrick, mais je n'étais pas sur les lieux précis au moment du drame.

À la suite de cet accident, plusieurs gars ont eu de la dif-ficulté à se remettre ; certains se repliaient sur eux-mêmes. Cet événement m'a beaucoup affecté également. L'entraînement n'était pas censé nous tuer ; il devait nous enseigner à rester debout et en vie sur le champ de bataille. À ce moment, nous avons pris conscience du réel danger qui nous attendait, de ce qui pourrait nous arriver sur le champ de bataille, alors qu'il y aurait des centaines de tirs et de bombes qui allaient nous tom-ber dessus. Nous avions entendu dire qu'un taux de dix pour cent de décès à l'entraînement était acceptable. Il aurait donc pu y avoir une vingtaine de morts et personne n'aurait posé de questions. Rien de bien sécurisant! Les simulations devenaient presque des jeux pour nous, mais, quand la mort frappait, nous revenions rapidement sur terre. À ma connaissance, ce fut toutefois le seul accident mortel de ce genre à survenir durant les exercices. C'était cependant déjà trop pour mon unité.

Divertissement en Angleterre

L'armée nous formait pour être de bons militaires, les meilleurs. Nous étions assidus et nous faisions du bon travail. Cependant, notre vie étant très structurée, nous avions besoin de nous changer les idées de temps à autre. Comme à Aldershot, après les journées d'entraînement à Hassocks, nous avions du temps pour sortir en ville. Nous allions parfois à Brighton, à environ trente minutes en voiture de nos quartiers. Cette ville était célèbre en Angleterre et, comparativement à Aldershot, elle comptait de nombreux endroits où s'amuser. Je sortais souvent avec Lussier, un gars de Sherbrooke qui faisait partie du *Sherbrooke Fusiliers Regiment*. Parfaitement bilingue, il m'aidait souvent lorsque j'avais de la difficulté à m'exprimer dans la langue de Shakespeare. Castilloux, Raymond, Hains et Lacroix m'accompagnaient également de temps à autre et j'en étais ravi, puisque nous nous croisions rarement au camp. La musique animait nos soirées et plusieurs hommes jouaient aux dards.

Les Anglais habitués des bars savaient comment fêter, mais ils buvaient raisonnablement et se mêlaient très bien aux autres. Ils sollicitaient sans cesse notre présence dans leurs jeux ou leurs conversations. J'avais bien du plaisir à jouer aux dards avec eux. Dans les clubs, c'était très hiérarchisé. Il y avait des pubs qui accueillaient n'importe qui: des hommes, des militaires, des ouvriers... Dans d'autres cependant, on n'acceptait que les gens de la classe élevée: des avocats, des médecins, des gestionnaires. Le civil ordinaire n'y était pas admis. En tant que soldats, il nous était permis d'entrer dans la plupart des clubs. Pourtant, plusieurs d'entre nous n'étaient que des fermiers ou des ouvriers, mais servir l'Angleterre nous surclassait dans la pyramide sociale.

Il arrivait que, durant ces soirées, des prostituées se promènent près du camp et sollicitent tous ceux qui en sortaient. Les policiers militaires surveillaient et, naturellement, elles n'avaient pas le droit d'entrer. La syphilis courait encore beaucoup à cette époque et ces policiers se faisaient un devoir d'empêcher les soldats de risquer leur santé pour une aventure. Malgré tous les avertissements, certains n'écoutaient que leurs pulsions. Il était désolant de constater la honte que ces hommes, dont quelques-uns étaient mes amis, pouvaient éprouver après avoir contracté la maladie. Plusieurs de ceux-là ne revenaient pas au Canada par peur d'être jugés. Certains s'enlevaient même la vie. Pour ma part, durant mes deux années d'entraînement et de service au front, je n'ai jamais approché une femme pour une aventure d'un soir; j'avais trop peur de la maladie. Certes, la féminité, la délicatesse et le parfum des femmes me manquaient par moments, mais je m'étais habitué à ce mode de vie sans présence féminine et je parvenais à m'en accommoder. La fraternité entre hommes prenait le dessus et nous nous en contentions.

Le divertissement du soldat étant important, les autorités se faisaient un devoir d'organiser des activités au camp. Par exemple, nous avions le privilège de participer à des parties de soccer contre des soldats anglais. Ils remportaient souvent haut la main ces compétitions amicales. Les gars avaient les jambes bleues jusqu'aux genoux et de la difficulté à marcher le lendemain matin. À Brighton, on jouait au hockey sur des glaces artificielles. Nos gars du Régiment affrontaient ceux de la *Royal Air Force* (RAF). Les bagarres n'étaient pas rares, les réconciliations non plus. Pour ma part, en raison de mon genou blessé, j'offrais une très faible participation à ces activités.

Tatouage

En décembre 1942, au moment où mon adaptation à mon nouvel environnement s'affermissait, j'ai été affecté par un grave problème de santé. Nous avions une journée de congé et nous nous étions divisés pour faire ce que nous voulions. Trois gars et moi avons décidé d'aller « aux vues » à Brighton. Le film n'y était évidemment présenté qu'en version anglaise, mais nous avions le goût d'une expérience cinématographique européenne. Je me souviens d'être sorti de la salle en me demandant si j'avais été le seul à ne pas avoir saisi les paroles du film. Après le visionnement, nous avons décidé d'aller prendre un café, question de laisser le temps s'écouler pour ne pas rentrer au camp immédiatement. Nous n'étions effectivement pas pressés de retourner à notre vie de discipline.

Sur le chemin du retour, nous nous sommes arrêtés devant la vitrine d'une boutique de tatouage. Curieux, nous y sommes entrés. Couturier, un gars de Chicoutimi, a dit en se frappant le torse : « Moi, je me fais faire un *tattoo*. » Il y avait un mur complet de petits dessins faits à la main. « *I want this one*[10] », a-t-il indiqué. Je l'ai trouvé courageux. « *OK, come and sit down*[11]*!* » a répondu le tatoueur, un grand tablier en caoutchouc à la taille. Il manipulait une petite machine avec trois aiguilles et il ne remplaçait la tête de l'outil que lorsqu'il devait changer de couleur. Il pouvait tatouer plus d'un client avec les mêmes aiguilles et il ne semblait pas les désinfecter. Ce n'était pas très rassurant. Couturier a mis son bras sur un petit banc rembourré et, dès que le tatoueur a fait glisser l'aiguille sur sa peau, le sang s'est mis à couler abondamment. Personne ne semblait s'en inquiéter. Après qu'il eut terminé, un autre de mes confrères a décidé qu'il tentait le coup lui aussi. Il s'est fait tatouer un crucifix sur

---

10. Je veux celui-ci.
11. OK, approche et assieds-toi!

la poitrine. Le tatoueur s'est repris à cinq ou six fois pour faire une croix qui ressemblait à celle du modèle. J'ai finalement décidé que j'entrais dans la danse moi aussi, malgré tous les signes qui me disaient de m'abstenir.

Finalement, je suis sorti de l'atelier avec quatre tatouages sur les bras. J'ai eu très mal, mais je ne m'en suis pas plaint. Des quatre dessins, l'un représentait une main dans un cœur sur lequel était inscrit *True love*[12]. Une flèche traversant le cœur avait également été dessinée. Un autre représentait le bateau qui m'avait transporté en Europe, le *Letitia II*. Sur l'autre bras, je m'étais fait tatouer le drapeau britannique auquel nous étions associés et un dessin représentant la « ruine de l'homme », soit la déchéance causée par la boisson, le sexe et la cigarette. Je n'avais pas vraiment d'opinion sur le déclin de l'homme, mais ce dessin était à la mode; il avait donc été mon dernier choix. Il était prévu que le tatoueur me dessine un revolver, mais mes tatouages saignaient trop et nous avons décidé de mettre un terme à la séance. Le gars nous a dit de repasser plus tard pour les retouches et les vérifications nécessaires, ce que nous avons ignoré. Nous pensions probablement tous secrètement que nous avions eu notre dose de souffrances. Chacun des tatouages avait coûté un dollar vingt-cinq et le temps pour les faire avait été très court.

Nous étions comme de jeunes enfants qui venaient de se faire maquiller par les clowns d'une fête foraine. La seule différence était que nous aurions ce moment d'impulsivité gravé à vie sur la peau. Il fallait que nous soyons vraiment fous pour faire une telle bêtise à vingt-deux ans dans un endroit que nous ne connaissions pas, à des kilomètres du bercail. Mais ce n'est pas la réflexion que nous avons eue sur le moment.

---

12. Véritable amour.

Après être passés sous les aiguilles, les trois hommes et moi sommes sortis dans la rue en exhibant fièrement nos tatouages. Nous ne regrettions pas. Honnêtement, c'était peut-être une pensée stupide, mais nous nous disions que notre vie valait la peine d'être vécue pleinement, sans retenue, puisqu'il se pouvait que nous ne puissions jamais reprendre le bateau qui allait nous ramener chez nous. Nous assumions.

De retour au camp, nous n'avons pas hésité à divertir nos amis proches en leur racontant notre folie de la journée. Certains nous traitaient d'imbéciles, d'autres nous enviaient.

Il était environ deux heures du matin la nuit suivante lorsque j'ai commencé à me frotter vivement les bras. Je n'avais pas vraiment mal, mais je savais qu'il y avait quelque chose qui n'allait pas. Au bout de quelques minutes, je me suis levé et me suis dirigé vers la salle de bain, le seul endroit de la baraque qui était éclairé durant la nuit. Quand j'ai passé la porte, j'ai observé mes bras. J'ai eu le souffle coupé. Ils étaient enflés et ils semblaient vouloir changer de couleur. Je devais aller voir le médecin, sachant pertinemment qu'il s'agissait d'une urgence. À sept heures le matin, je suis allé cogner à la tente des officiers. L'un d'eux m'a ouvert et m'a nommé par mon nom avec étonnement. Il savait bien qu'il y avait quelque chose qui clochait pour que je vienne à cette heure frapper à leur porte. J'ai alors mentionné que je voulais voir le docteur Gauthier. Le médecin était assis derrière la porte; il s'est levé et a fait les gros yeux lorsqu'il m'a regardé les bras. « Ouin, ça va pas bien, tes affaires! On va t'envoyer à l'hôpital tout de suite. »

Un soldat qui travaillait dans le transport comme moi m'a conduit à l'hôpital près de Brighton avec un véhicule de l'armée. J'ai attendu plusieurs minutes dans la salle d'attente avant qu'une infirmière ne vienne me voir et ne m'offre une jaquette verte que je devais enfiler. Je me suis couché sur le lit qui m'avait été assigné et un médecin est venu s'asseoir à mes côtés; c'était un gros monsieur de petite taille au ventre bien rond. Je ne comprenais pas bien l'anglais, mais il m'a semblé qu'à ce moment précis je saisissais tout ce qu'il disait. Il a commencé à m'examiner sous les ongles. Puis, en me regardant dans les yeux, il a expliqué aux infirmières les étapes à suivre. Il a dit que, si mon état ne s'améliorait pas dans les vingt-quatre heures, on devrait me couper les deux bras près des épaules. « *Otherwise, he's gonna die* ». Sinon, j'allais mourir… Ça, je l'avais bien compris. C'était plutôt drastique et irréel comme solution.

J'avais seulement vingt-deux ans, j'étais loin des miens et, pour une folie, je risquais de perdre mes deux membres. Mes bras étaient devenus bleus, jaunes, enflés, infectés… La douleur était intense, quoique stable. On m'avait placé les deux bras dans des tubes emplis d'eau chaude et d'antibiotiques. Pendant les longues heures que j'ai passées dans cette position, je n'avais qu'une chose à faire : penser. Une mouche tournait autour de ma tête et je m'imaginais incapable de la faire fuir avec mes mains si elle décidait de se poser sur le bout de mon nez. Je n'étais pas trop bon pour prier Dieu, mais je demandais à ma tante Alma, la sœur de mon père qui était religieuse, de faire quelque chose pour moi si elle le pouvait. Elle souffrait de la maladie d'Alzheimer, mais elle priait tout le temps; elle avait son chapelet entre les doigts à longueur de journée. J'avais réellement peur. Je fermais les yeux et je ne faisais que me dire que j'allais mieux, que j'avais moins mal. Si on peut se soigner par la pensée, j'en ai fait un bon bout seul.

Le lendemain matin, il était environ neuf heures lorsque le même docteur est revenu me voir. J'avais tellement hâte qu'il me dise quelque chose de positif, qu'il énonce un verdict en ma faveur! Il a discuté avec une infirmière âgée qui parlait un peu français. Après que le médecin eut quitté, elle a traduit pour moi ce qu'il avait dit : « Ça a l'air d'aller mieux. Il a dit de continuer les traitements. Il va revenir demain vers midi. »

Le lendemain après-midi, mes bras avaient une apparence beaucoup plus acceptable et la douleur avait diminué. Je suis finalement resté à l'hôpital pendant onze longues journées. Jour après jour, mon état ne faisait que s'améliorer. Quand j'ai eu mon congé de l'hôpital, j'étais remis à cent pour cent. Je remerciais le ciel, les deux bras levés. On est venu me chercher pour regagner le camp et j'ai pu reprendre mon rôle auprès du Régiment de la Chaudière. L'armée ne permettait pas les demi-mesures et j'ai poursuivi l'entraînement comme si rien ne s'était passé. De toute façon, je me sentais en pleine forme et surtout heureux d'être de retour avec tous mes membres.

Passage à 1943

Les quartiers du Régiment se situaient à Shoreham depuis le 9 décembre. La veille de Noël 1942, une partie des soldats se sont rendus à Londres le temps d'une messe. J'y suis allé également et j'en ai profité pour visiter madame Provencher, la cousine de ma mère qui y vivait depuis plusieurs années. Je ne l'avais jamais rencontrée, mais ma mère s'était fait un plaisir de me fournir son adresse dans une de ses lettres. C'était le moment ou jamais.

Je n'avais pas vraiment le cœur à la fête ce soir-là. J'étais assis sur le divan de madame Provencher et le temps semblait très long. Rien ne se passait ; elle parlait à peine et nous écoutions la radio. Elle n'avait pas préparé de repas, alors que moi, je m'attendais à manger copieusement à l'occasion du réveillon. En fait, je crois qu'elle n'avait jamais fait de repas de sa vie. Plus tard dans la soirée, son conjoint, un amiral anglais, est venu nous rejoindre. J'ai discuté quelques minutes avec lui. Madame Provencher traduisait.

Il commençait à se faire tard et nous n'avions toujours pas mangé. Je me suis surpris en train de tracer dans ma tête le chemin vers le restaurant le plus près. J'étais même prêt à quitter. Cependant, vers vingt-deux heures, son mari s'est levé: « *Let's go*[13]*!* » a-t-il dit. Nous nous sommes dirigés vers le *Warren Lodge Hotel* à Shepperton, à environ quarante-cinq minutes de Londres. Je crois bien que cet établissement faisait partie de la crème des hôtels de la région. Seule la haute classe avait le privilège d'y entrer. Les gens mangeaient avec le dos de la fourchette, même les petits pois. Ils prenaient la nourriture avec leur couteau et la ramenaient sur leur fourchette. Je trouvais ça élégant. Nous avons rejoint des amis du conjoint de madame Provencher à une table et, malgré mon anglais déficient, j'ai pu participer aux conversations toute la soirée. Finalement, ce fut une très belle expérience. J'avais pu me défaire un bref moment de l'autorité et de la discipline qui nous contraignaient depuis déjà plusieurs mois. J'ai grandement profité de tout le luxe dans lequel mes hôtes m'ont accueilli. Leur niveau de vie n'avait bien sûr rien à voir avec celui du soldat exempt de tout éclat. Passer mon premier réveillon en Europe en temps de guerre avec un membre de ma famille m'avait fait du bien, même si nous nous connaissions à peine. C'était réconfortant.

Depuis mon arrivée en Europe, je n'avais pas souvent pu contacter ma famille. Il n'y avait pas de téléphone à notre disposition pour communiquer avec nos proches. J'écrivais environ une fois par mois à ma mère. Nous pouvions partir en entraînement pendant deux ou trois semaines et il n'était pas toujours facile de prendre du temps pour rédiger une lettre. Nous nous asseyions sur le sol, sur le trottoir ou à côté d'un arbre pour écrire sur nos genoux. Il y avait beaucoup de distractions: les exercices, le bruit des armes, le mauvais temps, les milliers de

---

13. Allons-y!

soldats... De plus, il fallait constamment censurer nos écrits. Souvent, les lettres qui arrivaient au camp avaient déjà été ouvertes pour protéger l'armée des dangers d'espionnage. Dans nos écrits, nous ne pouvions jamais inscrire la ville où nous nous trouvions exactement ou l'itinéraire que nous devrions suivre. Signifier que nous étions installés en Angleterre suffisait pour situer nos destinataires.

Mes parents m'écrivaient à leur tour et m'envoyaient des cigarettes. Paradoxalement, même la Croix-Rouge nous en faisait parvenir. Ils pouvaient nous en envoyer par coups de mille par l'entremise de responsables dans nos régions. Je me souviens d'en avoir reçu à plusieurs reprises de la part de monsieur Bibeau, mon ancien employeur, et de monsieur Mullins, le maire de Bromptonville.

Le courrier arrivait par bateau, les responsables le livraient dans la brigade et ils nous indiquaient l'heure précise où nous devions aller le chercher. Quand une lettre m'était destinée, elle provenait toujours de ma mère. Elle m'informait de ce qui se passait par chez nous et s'informait de moi en retour. Mon père, lui, ne m'a jamais écrit, mes frères et sœurs non plus. J'imagine que le fait que je sois parti de la maison familiale à treize ans ne m'avait pas permis de développer une proximité suffisante avec mes frères et sœurs. Ma mère prenait donc l'initiative de m'écrire au nom de toute la famille.

J'aimais recevoir du courrier, mais j'étais bouleversé chaque fois. Je ressentais davantage l'éloignement de mes proches à la lecture des mots inscrits dans ces lettres. Éloignement physique, mais également éloignement de l'esprit; ils n'avaient aucune idée de ma situation, de ce que je vivais au quotidien, de mes pensées les plus profondes, de ce qui animait tous mes sens, du paysage militaire froid et rigide qui se trouvait sous mes yeux, du calvaire que les soldats vivaient déjà au front... Je m'étais rapproché des portes de la guerre et ma famille connaissait à peine la direction que j'avais empruntée pour y parvenir. Ainsi, lire une anecdote sur mon petit frère qui avait vécu un enfer à la rentrée scolaire me plongeait alors dans une mélancolie rêveuse où j'oubliais toutes mes responsabilités et où je devenais nostalgique. Les mots de ma mère empreints de simplicité et d'innocence me bouleversaient. J'étais heureux que la guerre n'ait atteint ma famille d'aucune façon.

Peu de temps après Noël, dès le début de l'année 1943 et jusqu'à notre départ pour l'Écosse en septembre, j'ai dû suivre divers cours pour parfaire mes connaissances dans le domaine du transport; parmi ceux-ci, des cours de mécanique et de manœuvre de véhicules. Des motocyclettes aux tanks les plus imposants, j'ai rapidement appris tous les rudiments des véhicules de transport qui seraient utilisés lors des conflits. J'ai obtenu un permis international qui me permettait d'en conduire divers modèles dans toute l'Europe. J'avais demandé de recevoir les cours en français autant que possible, et ce fut accepté pour certains d'entre eux.

Le champ d'études me passionnait. Il n'était donc pas difficile pour moi de m'intéresser aux cours et je m'y plaisais beaucoup. Après avoir suivi avec succès les cours de *Driver Mechanic* (DM) et de *Motors Mechanic* (MM), j'ai pu porter les insignes de ces spécialités sur la manche de mon uniforme. J'en étais particulièrement fier. Castilloux et Raymond avaient également suivi des cours de perfectionnement. Parfois, lorsque l'horaire nous le permettait, nous faisions des folies sur des motos que nous empruntions dans les garages. Je me souviens que nous avions érigé des parcours avec des obstacles. Mes copains et moi avons même roulé à cinquante kilomètres-heure dans la grande ville, et ce, debout sur nos motos et en nous tenant par la main. Je me considérais plutôt téméraire avec ces véhicules.

Le 1ᵉʳ janvier 1943, j'ai obtenu une augmentation de salaire. Je gagnais un dollar cinquante par jour, comparativement à un dollar trente à mes débuts, c'est-à-dire vingt cents de plus par jour. Un dollar quarante supplémentaire par semaine, c'était une augmentation fort importante à l'époque. J'ai tout de suite songé à ma famille qui profiterait certainement de ce surplus d'argent. J'étais heureux de participer au bien-être financier de ma famille et je sais que mes parents étaient très reconnaissants de mon soutien.

Jusqu'à la fin de la période estivale de 1943, j'ai demeuré à Brighton avec trois autres soldats chez un couple assez âgé et très chaleureux. Je me rappelle que notre hôtesse nous apprêtait souvent des tomates farcies pour le souper et qu'elle déposait des briques chaudes dans notre lit afin de réchauffer les draps. C'était une attention fort appréciée, surtout lorsque nous revenions de l'entraînement trempés et gelés. Durant mes temps libres, je poursuivais mes tâches pour la compagnie de support et je m'entraînais, comme les autres, à devenir un soldat accompli. Je me sentais d'ailleurs plus efficace dans tout ce que je faisais et j'étais plus motivé.

Perfectionnement militaire
Nous nous sommes entraînés à Inveraray en Écosse en septembre 1943. Le langage de la population m'a renversé. Nous essayions tant bien que mal de communiquer avec les gens par gestes. C'en était parfois gênant. Les Écossais étaient bien aimables; ils semblaient toujours heureux de nous voir.

Nous avons eu à effectuer des exercices très difficiles, là-bas. Avec un groupe de mécaniciens, j'ai dû réaliser jour après jour des manœuvres dans l'eau avec les véhicules. Là encore, nous augmentions nos compétences en vue de débarquements. Nous devions nous assurer que les moteurs puissent fonctionner dans l'eau durant une courte période. Une fois sortis de l'eau, nous devions faire les modifications nécessaires sur le véhicule pour qu'il puisse travailler adéquatement sur la terre ferme. Nous avions toujours froid, puisque nous étions constamment trempés. La température n'était pas toujours clémente, ce qui me rendait parfois impatient et intolérant.

Un matin de septembre 1943, le peloton devait effectuer un exercice de débarquement pendant que je m'affairais à transporter les rations des militaires pour la journée. C'était le major Audet qui avait pris le commandement de la manœuvre. Cet homme m'a profondément marqué lorsque j'étais en Europe. Ce vétéran de la guerre 1914-1918, âgé d'une quarantaine d'années, était trop jeune pour aller combattre au front lors de la Première Guerre mondiale, mais il était demeuré dans l'armée pour avoir l'opportunité d'acquérir un grade plus élevé. Étant donné sa bonne forme physique, il n'avait rien à envier aux plus jeunes. C'était un bon gars, mais un vrai militaire, un dur à cuire. Il s'astreignait à une discipline de fer et il en exigeait autant de ses élèves. Lorsque les soldats faisaient du drill sous son commandement, il ne se contentait pas de les regarder exécuter, il préférait suivre le peloton. Malgré son âge plus avancé, il était en mesure de démontrer la rigueur requise sur le terrain. Je l'admirais pour ça. En Angleterre, il ne faisait pas froid comme au Canada, mais il y avait des matins où la température n'était pas très loin du point de congélation. Les soldats avaient des culottes courtes pour s'entraîner, à six heures le matin, dans la rosée et le gel au sol; il va de soi que ce n'était pas des conditions qu'ils chérissaient particulièrement. À la blague, les gars disaient souvent à propos du major qu'ils lui souhaitaient des poux et la perte de ses ongles pour l'empêcher de se gratter.

Ce matin-là, les soldats devaient débarquer des barges avec des grenades aux mains. Pour la démonstration, le major en avait une dans chaque main. Lorsque la plate-forme s'est abaissée, il a trébuché. Les deux grenades ont explosé, ce qui lui a du coup fait perdre ses deux mains. C'était loin d'être drôle. C'est un soldat qui est passé à la cuisine du camp Shira, où j'étais assigné aux rations, pour nous informer du drame. Nous venions de perdre un bon allié, un homme qui savait faire naître de bons soldats par ses enseignements et ses exigences.

J'ai passé le réveillon de Noël 1943 sur l'Île de Wight, au sud de l'Angleterre. Ce Noël a plutôt passé inaperçu. Nous sommes restés près de deux mois sur cette île à faire des exercices de débarquement et à procéder à la vérification et au perfectionnement du système de communication. Pendant que nous nous entraînions, la guerre sévissait dans d'autres pays d'Europe. En juillet 1943, des militaires de la 1re division d'infanterie canadienne, dont le Royal 22e Régiment auquel j'appartenais un an plus tôt, sont allés combattre en Sicile, puis en Italie même. Malgré la puissante opposition des Forces de l'Axe, l'offensive alliée s'était renforcée ailleurs sur le continent.

Tout comme l'année 1943, l'année 1944 a été consacrée à l'entraînement intensif. Les exercices étaient exécutés de façon très rigoureuse et le temps pour les loisirs manquait. Les déplacements ont été moins nombreux cette année-là; je crois que nous avons changé de camp une fois seulement. Stoneham a été le dernier lieu où le Régiment a établi ses quartiers.

Puis, vers la fin mai, nous nous sommes aperçus que la sécurité s'intensifiait autour du camp. En effet, des fils barbelés avaient été installés et le nombre de soldats effectuant la garde avait augmenté. Nous ne pouvions plus sortir du camp. Nous savions dès lors que le moment que nous attendions tous depuis plusieurs mois, le jour J, jour prévu du débarquement sur la terre normande en France, approchait à grands pas. Nos présages nous seraient en effet confirmés peu de temps après par les officiers. Nous étions fébriles, mais tout à fait inconscients de ce qui nous attendait. À cet instant, je ne crois pas avoir vraiment saisi toute l'ampleur de ce qui était en train de se préparer. Je crois que c'était le cas de nous tous. Notre destin s'ouvrait sur une réalité de plus en plus noire, mais nous n'en savions rien encore. Ce que nous étions sur le point de vivre demeurait irréel. J'allais bientôt découvrir la dure réalité, comme tous mes frères d'armes.

Au cours des jours qui ont suivi, on nous a préparés au débarquement qui aurait lieu de l'autre côté de la Manche. On nous a bombardés d'informations en nous présentant du matériel tel que des photos, des cartes et des maquettes afin de nous familiariser avec le rôle que nous aurions à jouer dès que nous aurions quitté les bateaux. Sur le plan technique et théorique, nous ne pouvions être plus prêts. Avant que nous quittions la terre ferme, on nous a donné des sacs de rations, que nous appelions les rations d'urgence. On nous a également remis quelques francs ainsi qu'une ceinture de sauvetage. Plus tôt dans la semaine, nous avions reçu un petit couteau, le poignard de commando. Cette dague à la lame très effilée avait été créée principalement pour notre défense dans les combats corps à corps. J'avais participé à des cours d'autodéfense durant mes années d'entraînement pour apprendre à me débrouiller dans ce type de combat. J'imagine que ce couteau devait nous procurer une certaine impression de sécurité.

Nous avons quitté le camp de Stoneham le 29 mai pour nous diriger vers les zones d'embarquement qui nous avaient été assignées durant la préparation finale.

Chapitre 6

CHAOS EN SOL NORMAND

L'embarquement de la compagnie de support à laquelle j'appartenais a eu lieu le 2 juin 1944 à Southampton. On ne nous avait toujours pas informés de la date exacte du débarquement sur les plages normandes. Comme pour chaque exercice que nous réalisions, j'avais été dirigé vers un *Landing Craft Tank* (LCT), une embarcation spécialement conçue pour transporter les véhicules lourds tels les chars de combat. J'étais affecté à une chenillette *Bren Carrier* et ma tâche consisterait à fournir les munitions à la compagnie A de notre régiment. Mes amis Fernand, Ti-Pat, Lacroix, Castilloux et Raymond n'étaient pas avec moi. Ils avaient tous embarqué dans des navires destinés à transporter les fantassins, les *Landing Ship Infantry* (LSI). Nous avions fait ces longs mois d'entraînement ensemble et il va de soi que j'aurais trouvé plus rassurant de les savoir à mes côtés. Les caprices n'avaient cependant pas leur place dans le contexte de guerre et, tout ce que je souhaitais, c'était que tout se passe bien pour mes amis, peu importe l'issue de l'opération. Nous avions un énorme travail d'équipe à effectuer et, peu importait avec qui nous nous retrouvions, nous devions rester concentrés en tout temps et nous serrer les coudes. L'expression «frère d'armes» s'appliquait à chaque homme présent. J'avais vu Fernand au loin avant mon embarquement et nous nous étions salués longuement en nous transmettant toutes nos pensées positives à travers nos yeux, petit sourire réconfortant en prime. Nous avions entrepris cette aventure ensemble en 1941, à Sherbrooke, et nous pressentions à présent que nous étions sur le point de vivre les moments angoissants que nous appréhendions depuis le début.

Des LCT au port de Southampton
Source : Bibliothèque et Archives Canada

L'embarcation dans laquelle je me trouvais a pris position dans un port de mer où nous nous sommes cachés pour attendre les ordres. Nous n'avions rien à faire, rien à dire. Nous écoutions les commandements et nous flânions toute la journée. Quand la météo le permettait, nous examinions les moteurs de nos véhicules et nous faisions en sorte que tout soit en ordre. À travers tout ce qui pouvait nous attendre, il n'était pas souhaitable qu'un bris mécanique vienne nous distraire de nos tâches. Notre survie pouvait dépendre du bon fonctionnement du matériel.

Nous avons passé environ quatre jours sur le bateau immobile. Le 5 juin, je me suis aperçu que l'atmosphère générale n'était pas comme d'habitude. L'ambiance sur la mer, l'agitation des officiers, les nombreux avions qui survolaient nos navires, tout était plus intense. Ce n'est qu'en fin de journée que nous avons su que le jour fatidique du débarquement destiné à libérer le nord-ouest de l'Europe avait été fixé au lendemain, soit le 6 juin. Bizarrement, nous étions emballés par cette annonce et nous avons poussé des cris. Après, nous avons su que nous avions été retardés d'une journée en raison du mauvais temps et qu'en réalité nous aurions dû mettre les pieds sur terre le 5 juin. Peu importait, nous étions plus que prêts. Nous nous disions : « Enfin, là c'est vrai ! » Il ne s'agissait pas d'une exclamation enthousiaste devant ce qui nous attendait, mais d'une réaction due à la lassitude que nous éprouvions après tant de temps à se faire ballotter sur ce bateau et à exécuter les mêmes manœuvres à répétition. Les nombreux ordres et les simulations maintes fois répétés durant nos quarante-deux mois d'entraînement allaient enfin servir. Cependant, nous ne nous doutions pas à ce moment que notre périple en zone de guerre allait durer onze mois.

La soirée fut consacrée au déploiement de la flotte dans le but de faire front commun vers la zone de débarquement. La 8e brigade, composée du Régiment de la Chaudière, du *North Shore* – du Nouveau-Brunswick – et du *Queen's Own Rifles of Canada*, avait comme point de débarquement le secteur de Juno sur la plage de Bernières-sur-Mer. L'opération portait le nom d'*Overlord*. Nous avons parcouru plusieurs kilomètres sur l'eau. C'était impressionnant et, d'une certaine manière, sécurisant de voir tous ces navires qui s'alliaient en fonction d'une même cible. J'étais heureux à ce moment d'être de leur côté.

Durant tout le trajet sur la Manche, le temps était très mauvais et il y avait énormément de vagues. J'admirais le personnel navigant qui réussissait à maîtriser les embarcations malgré le temps agité. Il ventait, il pleuvait, et les vagues atteignaient des hauteurs impressionnantes. La barge était parfois inondée et seules les tourelles des tanks pouvaient nous protéger par moments. Les toiles qui recouvraient les véhicules fendaient sous la puissance des vagues. Le toit du LCT ne couvrait que quelques mètres à son extrémité arrière. Le reste était à ciel ouvert. C'était à cet endroit que nous nous cachions des intempéries et que nous allions manger, entassés les uns sur les autres. Plusieurs dizaines de mes compagnons supportaient difficilement le balancement causé par les vagues et certains ne pouvaient maîtriser leur mal de mer. La concentration de certains de nos gars en était affectée. Nous étions tous éprouvés par les indispositions des malades, mais il nous fallait nous résigner : il n'y avait aucun remède pour les soulager et nous n'avions d'autre ressource que d'attendre le moment où ils auraient les pieds sur la terre ferme. Pour ma part, j'avais la chance d'avoir l'estomac solide et de ne pas faire partie de ces gars pris de vomissements répétés.

La nuit du 5 au 6 juin a été plutôt mouvementée. Les maquisards, comme on désignait les résistants français pendant la Seconde Guerre mondiale, avaient réussi à saboter les plans de l'ennemi durant la nuit, ce qui avait servi de leurre pour tromper les Allemands et les avait amenés à déployer une partie de leurs effectifs ailleurs. Ces maquisards constituaient une sorte d'armée secrète. Ils travaillaient dans l'ombre et étaient de véritables alliés.

Par ailleurs, le bruit quasi constant engendré par les affrontements sur la côte normande ne nous avait évidemment pas permis de nous offrir une bonne nuit de sommeil. Les avions alliés volaient au-dessus de nos têtes et avaient commencé à bombarder les positions ennemies. Ils étaient devenus un réel obstacle pour les Allemands. Ils avaient réussi à éliminer un grand nombre des avions allemands qui étaient à nos trousses. Nos Spitfire n'avaient rien à envier aux chasseurs aériens ennemis. Ils étaient conçus pour être rapides et facilement manœuvrables. De plus, de gros ballons d'hélium suspendus à des câbles d'acier longs de plusieurs dizaines de mètres étaient reliés à divers navires et servaient de barrages pour protéger les cibles alliées contre les attaques aériennes à basse altitude; les avions allemands étaient alors forcés de voler plus haut, ce qui rendait leurs tirs moins précis. En fait, les mitrailleuses des avions n'étaient pas orientables comme celles d'aujourd'hui. L'arme n'était pas mobile et était fixée parallèlement à l'appareil, qui devait viser la cible en fonçant vers le bas la plupart du temps. C'était là que les ballons captifs étaient utiles.

Le matin du 6 juin, les officiers nous ont réveillés très tôt. Nous voyions la clarté du jour, mais le temps était plutôt gris et l'atmosphère, très brumeuse. Il faisait très chaud et nos habits de laine étaient difficiles à supporter. Sur la plage, la fumée engendrée par les fumigènes assombrissait l'horizon. L'agitation de la mer était à l'image des jours précédents. Nous avions réussi à gagner la bataille du ciel et la 8ᵉ brigade devait lancer l'assaut au sol. Eisenhower, commandant en chef des forces alliées, avait prononcé ces mots la veille : « Les yeux du monde sont fixés sur vous. Les espoirs, les prières de tous les peuples épris de liberté vous accompagnent[14]. » Durant tout le discours, les hommes qui m'entouraient avaient joint leurs mains et fermé les yeux pour prier. J'avais fait le signe de croix avec eux.

C'était maintenant à nous de jouer. Nous avions tant simulé notre approche du lieu du débarquement que nous avions peine à croire que cet exercice allait se concrétiser, que nous n'allions pas faire semblant cette fois-ci. Le Régiment avait comme principal objectif d'exécuter une avancée sur une dizaine de

14. Extrait du discours officiel d'Eisenhower prononcé pour les Alliés la veille du Débarquement (Marc LAURENCEAU. *La Bataille de Normandie*).

kilomètres à l'intérieur des terres aux environs de Bény-sur-Mer, dépassé Bernières. Nous étions déjà assez près du lieu du débarquement. Chaque navire avait sa place sur la mer et tout était déterminé à l'avance. En raison de la marée haute, les gros bateaux restaient au large pour éviter de s'échouer. Quant aux *Landing Craft Assault* (LCA), des barges pouvant contenir une trentaine de soldats de l'infanterie alliée et qui avaient été mises à l'eau à partir des LSI, elles étaient plus près de la plage, mais elles étaient également contraintes de demeurer loin du rivage en raison de la marée montante. Plusieurs de nos gars ont même dû quitter leur barge et tenter de rejoindre la plage, malgré les énormes vagues qui les faisaient constamment basculer. Certains ne savaient pas nager, d'autres s'étouffaient avec l'eau qui les submergeait.

Le *Queen's Own Rifles* était tout juste devant nous. Il avait la lourde tâche, avec l'aide du personnel ingénieur du Corps royal de génie canadien, de dégager la plage jusqu'au village de Bernières des obstacles érigés par les Allemands. Malheureusement, le mur de l'Atlantique, le système de fortifications côtières allemandes, ne rendait pas leur tâche des plus faciles. En effet, Juno Beach était la seconde plage la mieux fortifiée après Omaha Beach, le secteur assigné aux Américains lors de l'opération *Overlord*. Le *Queen's Own Rifles* avait déjà perdu beaucoup de ses hommes et la résistance ennemie avait réussi à rendre plus ardue l'atteinte de son objectif de créer une brèche vers le village. Nous saurions plus tard que le courage et l'initiative de quelques hommes de notre régiment auraient aidé le *Queen's Own Rifles* à se défaire des nids de mitrailleuses qui les empêchaient d'avancer.

Lorsque le LCT dans lequel je prenais place est arrivé près de la plage, j'ai observé, impuissant, les embarcations de notre régiment qui explosaient au contact des nombreuses mines qui avaient été installées par les Allemands dans le but de créer une sorte de barrage. Le mouvement de la barge causé par les vagues me permettait de voir tout ça par-dessus les bords du bateau. Les boulets de canon faisaient également des ravages sur l'eau et les échanges de tirs de mitrailleuses qui avaient lieu au village de Bernières retentissaient jusqu'à nos oreilles. Il y avait de l'écho sur la mer et j'entendais très bien les obus frapper le sol. Un film d'horreur se déroulait sous mes yeux, rien de moins. Le bruit des tirs et celui des avions allaient rester gravés dans ma mémoire. C'était constant et rien ne semblait vouloir se calmer. Je me sentais encore comme un spectateur, mais je savais bien que j'allais bientôt devenir acteur dans ce chaos. Le mot lendemain n'existait plus et les longues minutes du présent ne laissaient aucune place aux pensées réconfortantes.

Débarquement de Normandie

Quelques heures après notre réveil, soit vers huit heures trente, les premiers militaires des compagnies A et B du Régiment de la Chaudière ont pris pied sur terre. La plage du secteur Juno était très longue et plane, ce qui s'avérait un avantage non négligeable pour nous. Les Allemands s'étaient installés hors de la ville. Ils réussissaient tout de même à nous atteindre avec leurs armes et leur artillerie lourde. La division allemande gardait la plage avec plusieurs canons et des armes qui pouvaient tirer des projectiles à des kilomètres de distance. Nous devions combattre un ennemi invisible.

C'était pour moi l'heure de quitter le navire pour devenir, sans vraiment l'avoir souhaité au départ, impliqué dans l'un des plus grands événements de l'histoire de l'humanité. Tout ce que je possédais pour aller au front était trempé. Les vagues nous arrosaient de temps à autre, mais il fallait faire abstraction de ce détail. Je n'avais ni faim ni soif, enfin, je crois... J'étais très concentré sur la tâche que j'allais devoir effectuer dès ma descente de la barge. Je ne me préoccupais que de ce qui allait se passer à court terme. J'étais déjà fatigué en raison des exercices précédant le débarquement et des dernières nuits peu reposantes, mais je n'avais pas le choix d'être debout et d'avancer. J'étais prêt malgré tout. L'adrénaline était à son maximum. J'en avais réellement besoin pour faire face au danger qui m'attendait. Apparemment, d'autres utilisaient des stimulants pour augmenter leur efficacité au combat. En effet, certains croyaient que la méthamphétamine leur apporterait une grande force mentale en même temps qu'une diminution significative de l'anxiété. Pour ma part, je trouvais insensée l'idée qu'on ait plus de chance de sauver sa vie en étant sous l'influence de cette drogue, mais il faut croire que cela n'aura pas nui à tout le monde.

Débarquement de l'infanterie à Juno Beach le 6 juin 1944
Source : Bibliothèque et Archives Canada

Lorsque le *Landing Craft Tank* dans lequel je me trouvais est arrivé près du rivage, la porte s'est abaissée pour libérer la rampe de débarquement qui allait nous donner accès à l'eau. La mer était rouge ; le sang des hommes abattus dès leur arrivée sur les côtes s'était répandu dans les flots. Mon rythme cardiaque a accéléré en réaction aux diverses émotions qui se bousculaient en moi. J'étais confiant, mais effrayé, en contrôle, mais nerveux, excité, mais craintif. J'étais installé seul dans mon char *Bren Carrier*, le moteur était en marche et j'étais prêt depuis un bon moment déjà. J'attendais mon tour.

Nous avions maintes et maintes fois pratiqué les positions pour notre sortie à l'eau et nous devions nous suivre de très près; pas plus d'un mètre et demi ne devait être laissé entre chacun des véhicules. Les officiers nous avaient mentionné qu'il fallait être rapides, mais efficaces. Nous avions peu de temps pour atteindre la brèche qui menait à Bernières-sur-Mer, créée par le *Queen's Own Rifles* environ une heure plus tôt. Nous devions perdre le moins de matériel possible sous les feux ennemis.

Mon véhicule était le troisième derrière un char de reconnaissance et un tank. Lorsque ce dernier s'est avancé vers la rampe, le devant de l'embarcation a naturellement descendu dans l'eau. Je m'y attendais et tout se passait comme prévu. Cependant, lorsque le tank a quitté la rampe de débarquement, le nez de la barge s'est élevé dans les airs pour ensuite s'enfoncer de plusieurs mètres. Pendant quelques secondes, j'ai eu de l'eau par-dessus la tête. J'étais loin d'avoir imaginé ce scénario. Nous avions pourtant pratiqué plusieurs fois la manœuvre, mais toutes les conditions n'avaient pu être prévues. J'étais saisi, mais je ne pensais qu'à sauver ma peau. Je me suis essuyé les yeux et j'ai amorcé mon avancée sur la rampe de débarquement. J'ai suivi le véhicule devant moi et quelques secondes seulement ont été nécessaires pour atteindre la plage.

Je devais m'éloigner le plus loin possible afin de libérer l'espace pour les autres véhicules derrière moi. Je me souviens d'avoir aperçu à ma gauche la maison qui allait devenir le symbole du village par la suite, notre point de repère. En effet, cette maison avait été prise par les Allemands qui s'en servaient comme poste d'observation, mais elle avait déjà subi des dommages depuis le début de la journée. Elle sera par la suite surnommée la Maison du *Queen's Own Rifles of Canada*, en l'honneur du régiment qui l'aura libérée.

Une fois sur la terre ferme, nous avons vraiment réalisé que, cette fois, c'était loin d'être une simulation. Plusieurs morts et blessés étaient étendus sur la plage; les corps mutilés se comptaient par dizaines. Leur histoire était malheureusement déjà terminée. En voyant ces images saisissantes, je n'avais pas le goût de frapper ni de venger Dieppe, comme certains d'entre nous. Devant tant d'horreurs, il fallait tenter de survivre soi-même. Nous avions tous un rôle important à jouer au front et le temps manquait pour secourir les blessés. De toute façon, des brancardiers étaient là pour accomplir cette tâche. Ils étaient chargés de transporter les blessés afin de les confier aux médecins. Ces hommes n'étaient pas censés être visés volontairement par les tirs ennemis. Leur brassard à l'emblème de la Croix-Rouge devait les protéger. Il en est pourtant tombé plusieurs au combat.

C'était loin d'être la vie normale; il fallait se le répéter souvent. Nous devions nous préparer à voir tout ce qu'il était possible de voir. Des cadavres vacillaient dans l'eau, des têtes flottaient, des blessés gisaient sur le sable. Des hommes tombaient et les cris de souffrance se faisaient de plus en plus nombreux. L'artillerie et les avions faisaient un bruit épouvantable, les boulets de canon creusaient d'énormes trous au sol, les tirs arrivaient de partout à la fois… Nous ne savions plus où donner de la tête. Des affrontements avaient également lieu dans les rues de Bernières-sur-Mer entre le *Queen's Own Rifles* et les Allemands pour déloger définitivement les ennemis du village.

Ce baptême du feu, c'était un cauchemar éveillé, rien de moins. Il n'y avait de pardon pour personne. Malgré que nous ayons été préparés à cet enfer, je n'avais jamais pris le temps de visualiser ou d'imaginer des telles atrocités. J'avais également entendu parler de la Première Guerre mondiale et de ses horreurs, mais ces dires n'étaient que de l'abstrait pour moi. Ce que nous étions en train de vivre nous confrontait à des réalités qu'il nous avait été impossible de saisir à l'entraînement. Dès mes premiers pas sur le sol normand, j'ai compris ce qu'était la guerre.

Je devais rester concentré sur ce que j'avais à faire. Je ne pensais ni à ma famille ni à mes amis, je ne pensais pas à ce qui était en train de leur arriver. Je pensais à accomplir mon travail correctement et rapidement. C'était déjà beaucoup. À ce moment, je ne voyais pas les Allemands. J'apercevais par contre des prisonniers ennemis sur la plage. Les tirs affluaient de toutes parts, mais je devais tout de même sortir de mon véhicule afin d'y modifier certains éléments mécaniques pour qu'il soit en mesure de bien fonctionner sur le sol, comme je l'avais pratiqué à maintes reprises en Écosse. J'ai alors ouvert les panneaux de ma chenillette et j'ai dû en descendre tête première, dos aux tirs ennemis. Je devais poser une courroie de ventilateur, brancher les tuyaux à air au carburateur et installer des filtres. J'avais également comme tâche de changer les tuyaux des silencieux, puisque ceux-ci avaient été modifiés pour être fonctionnels dans l'eau. Tous les occupants des véhicules, exceptés ceux des gros tanks qui avancent dans l'eau avec leur moteur plus haut à l'arrière, devaient exécuter ces tâches dès leur arrivée sur la plage. Je maîtrisais ce que j'avais à faire, mais j'étais très nerveux. Ma dextérité s'en ressentait, mais je ne pensais qu'à terminer le travail au plus vite afin de rentrer à l'intérieur de mon *Bren Carrier* et de quitter les lieux pour me diriger vers la brèche donnant accès au village. J'entendais les balles frapper mon véhicule et je me demandais sans cesse laquelle allait me blesser… ou me tuer. Le côté de la chenillette était criblé de balles de mitrailleuses. Cependant, les petites munitions ne faisaient qu'en érafler la peinture. Par chance, elles ne transperçaient pas l'acier du véhicule. Je devais cependant me méfier des mines.

J'avais les fesses pas mal serrées durant cet instant qui m'a semblé interminable. C'était comme si je me retrouvais en plein milieu d'un orage sans qu'aucune goutte de pluie ne me tombe dessus. Une étoile, quelque part, devait me protéger.

Les travaux sur mon véhicule ont pris une dizaine de minutes, peut-être plus. Quand on se retrouve immobile en plein milieu d'un affrontement et qu'on doit accomplir un travail, c'est le cas de dire que les secondes deviennent des minutes. Derrière mon véhicule, quatre gars se cachaient pour éviter les tirs. C'était légitime pour des soldats à pied comme eux. J'aurais également pu décider de me cacher ou de rester à l'abri dans mon véhicule, mais je n'aurais pas pu suivre adéquatement le plan établi pour la suite. Je n'aurais rien eu à y gagner, sinon le déshonneur d'avoir lâché. Je pensais surtout à sauver ma peau pour être encore là et faire mon travail. Mes compagnons d'armes avaient besoin de moi. Je devais leur fournir des munitions. Je ne voulais pas me décevoir, mais je ne voulais surtout pas décevoir mes compatriotes. Je ne pensais qu'à cela. J'ai finalement réussi à quitter la plage et à suivre le courant vers la ville de Bernières avec les autres.

Nous avons réussi à pénétrer dans la ville par la brèche créée avant le débarquement de nos troupes. À notre arrivée à Bernières, un bel accueil nous attendait. Le sourire et l'excitation des civils représentaient un réel cadeau pour nous et témoignaient de leur grande satisfaction d'être enfin libérés des occupants indésirables. De plus, ils étaient agréablement surpris de voir que nous parlions français. Les civils de Bernières, comme ceux des autres pays envahis, avaient bien sûr fait partie intégrante des affrontements. Quand nous sommes passés dans la ville, il n'y avait plus d'Allemands. Comme dans les villes voisines, personne ne s'attendait à un tel carnage. Nous nous sommes bien rendu compte que certains civils n'avaient pas quitté leur domicile. Ils s'étaient abandonnés à leur destin, en quelque sorte. De leur maison, ils étaient témoins des hostilités qui faisaient rage dans leur ville. J'imaginais ma propre famille soumise à l'angoisse perpétuelle et au danger. Je compatissais. À l'inverse de ce que je pouvais éprouver, j'ai côtoyé des soldats qui s'étaient tellement identifiés à l'esprit de la guerre et aux objectifs à atteindre qu'ils délaissaient un peu la véritable empathie.

Les civils vivaient dans la crainte depuis déjà beaucoup de temps. Les Allemands occupaient la région depuis des années et la population devait se plier à leurs exigences. L'ennemi décidait des règles et prenait possession de ce qu'il voulait. La maison du *Queen's Own Rifles of Canada* sur la plage avait été évacuée sous leurs ordres et ils avaient détruit toutes les autres qui n'étaient pas nécessaires à leur stratégie d'installation. En général, les résidants s'éloignaient des bombardements. Ils allaient le plus loin possible des affrontements, se creusaient des tranchées ou allaient dans les sous-sols des maisons. J'ai vu une grosse maison qui avait servi d'abri à plusieurs civils; elle possédait un immense jardin entouré de gros arbres matures qui servaient de bouclier contre les rafales de balles. Cependant, les gens n'en subissaient pas moins des dommages, ce que nous avons rapidement constaté. Nous avons donc fait la joie de centaines de citoyens.

L'avancée sur les terres normandes

Le débarquement était maintenant chose du passé. Il fallait se regrouper et s'organiser de nouveau. Certains de nos gars s'étaient éparpillés, mais ils ont vite rejoint leur peloton. Nous étions tellement entraînés à nous orienter ou à trouver des solutions de remplacement qu'il fallait être vraiment égarés pour ne pas regagner nos rangs. En outre, il y avait beaucoup de supérieurs pour encadrer les déplacements et donner des informations. Les autorités étaient au courant de ce qu'il fallait faire : suivre, arrêter, se cacher, avancer… Tous ces commandements étaient prêts.

Les messages envoyés par les signaleurs nous permettaient aussi de rester dans la bonne voie. On nous communiquait entre autres les mots de passe, une information qui pouvait se révéler vitale. En effet, ces mots de passe étaient indispensables pour s'identifier à l'entrée de nos lignes ou lorsque nous percevions un bruit suspect. Ils changeaient presque tous les jours et il s'agissait de termes que tout le monde, anglophones comme francophones, pouvait prononcer sans difficulté.

Nous avons avancé durant la journée qui a suivi. Sur le terrain, des brancardiers évacuaient les blessés et les amenaient dans les tentes érigées derrière les bataillons pour les médecins et infirmières du Corps royal de santé canadien. Quant aux cadavres, des responsables passaient après nous et s'occupaient également de les transporter. Ils prenaient les médaillons de chacun des défunts pour les identifier. Ils savaient où les enterrer et à qui transmettre les renseignements nécessaires pour informer les familles.

J'étais assis dans mon char *Bren Carrier*, en ligne avec les autres véhicules dans le convoi, constamment sur le qui-vive, prêt à répondre aux ordres. Selon les directives des officiers, je devais être à la disposition des troupes pour leur fournir des munitions. Au moment opportun, je pouvais me poster à un endroit précis un peu en retrait du convoi et décharger des caisses de munitions que je remettais à d'autres militaires.

Je regardais tout autour de moi les combats dévastateurs et

j'avais peine à croire ce qui était en train de se produire. Des vies humaines s'éteignaient sous mes yeux depuis le début des affrontements et je n'y pouvais rien. C'était intolérable. C'était inhumain. C'était presque absurde. Et, pour me faire comprendre encore davantage que la guerre était avare d'exemptions, ma vie a basculé lorsque j'ai aperçu ce que j'appréhendais le plus depuis le début de notre calvaire : en cette fin de journée du 6 juin 1944, en montant vers La Mare, le destin m'a fait passer à côté du corps criblé de balles d'un ami, celui de Fernand Hains. Je suis aussitôt descendu de mon véhicule, en espérant de tout mon être percevoir un semblant de respiration dans sa poitrine, mais je me suis vite rendu à l'évidence. Les balles ne lui avaient laissé aucune chance. Déjà, je pensais à ses parents, à ce que j'allais leur dire.

Je venais de recevoir la pire claque au visage de ma vie. La dure réalité me rattrapait. C'était comme si on me disait : « C'est ici que ça se passe ! Tu seras tous les jours confronté à des scènes de ce genre ! » Des soldats proches me criaient de reprendre mon véhicule le plus vite possible et de poursuivre mon chemin. Je n'avais d'autre choix que de laisser mon ami seul sur le champ de débris laissés par les feux de la guerre, mais la douleur que je ressentais m'en punissait déjà et me refusait toute insouciance. Je savais qu'on s'occuperait bien de lui, mais j'avais envers Fernand une responsabilité particulière en raison de notre amitié et de notre ville d'origine commune. Mais on continuait de me crier de poursuivre ma route.

Après avoir pris fermement la main de mon ami, j'ai quitté les lieux, le corps encore tout engourdi par le choc et en me disant avec affliction que je ne le reverrais jamais. J'ai eu une pensée pour Lacroix, Saint-Hilaire, Ti-Pat, Castilloux et Raymond. Je me suis demandé s'ils auraient la chance de voir le soleil se lever au lendemain du jour J.

Fernand Hains
Source : Collection famille Hains

C'est plein de colère que j'ai poursuivi ma route. Cette guerre était une injustice et, déjà, je la tolérais mal et je m'y enfonçais à reculons. C'était enrageant de vivre dans cette réalité. Mon esprit était profondément troublé par la perte de mon ami.

Plus tard en soirée, alors que nous poursuivions notre montée, un officier allemand étendu sur le sol m'a fait un faible signe de la main. Dans un clignement des yeux, j'ai cru voir les traits de Fernand se dessiner sur le visage du malheureux. J'éprouvais une certaine compassion pour cet homme qui, pourtant, était mon ennemi et qui pouvait peut-être connaître l'identité de celui qui avait descendu mon ami. Il y avait une gourde pleine d'eau attachée à sa ceinture. Il saignait épouvantablement et il était incapable de tendre la main vers le contenant. Le sable et le sang séché avaient créé un masque horrible sur son jeune visage et sa main droite était restée agrippée à son arme. Je voyais bien qu'il souffrait énormément de la déshydratation et de ses blessures. Même s'il était allemand, il restait un humain. Je suis descendu de mon véhicule, j'ai détaché sa gourde et je lui ai donné à boire.

J'aurais pu garder l'eau pour moi, sachant que c'était une ressource précieuse au front et que ce n'était pas toujours facile d'y avoir accès. Il m'arrivait de seulement m'humecter la bouche ou de prendre une gorgée sans l'avaler, conscient que la prochaine mettrait du temps avant d'arriver. Il y avait des porteurs d'eau au front, mais il arrivait fréquemment que ces gars soient incapables de se rendre à destination avec les tanks en raison des nombreux débris sur les routes, conséquence des bombardements. Quand ils le pouvaient, ils apportaient des jerrycans, de gros bidons en métal qui étaient généralement utilisés pour l'essence, mais dans lesquels on pouvait mettre de l'eau. Ces bidons étaient assez résistants pour être largués par les avions de ravitaillement.

Entraînement au chargement de jerrycans sur les plages de Devon, en Angleterre,
en préparation au Débarquement de Normandie, avril 1944
Source : www.olive-drab.com

Bref, lorsque j'ai finalement donné à boire à l'ennemi, il a relâché son dernier soupir. Il est certainement mort au bout de son sang. Je n'avais pas les qualifications requises pour répondre aux besoins des blessés graves, mais je possédais tout de même quelques notions de base. Pour cet homme, il était trop tard. On n'aurait pas pu faire quoi que ce soit.

Plus tard durant la bataille, j'ai aidé des brancardiers chargés du transport des blessés à soigner des prisonniers allemands. Je ne sais pas s'ils auraient eu l'amabilité de faire la même chose pour nous, mais je crois bien que oui pour certains d'entre eux. J'ai toujours cru que les soldats allemands non fanatisés étaient des hommes comme nous, humains et civilisés, qui répondaient simplement aux ordres de leurs supérieurs. J'en ai eu la preuve quelques heures plus tard.

Des membres de l'infanterie allemande en Normandie en juin 1944
Source : Archives fédérales allemandes

Chapitre 7

Instinct de survie en captivité

Le jour J était presque chose du passé. J'aurais bien aimé que cette «journée la plus longue» ne soit en fait qu'un malheureux cauchemar. Le jour même du débarquement aura sans doute été le jour le plus émouvant de toute ma participation à la guerre. Cependant, le jour suivant, soit le 7 juin 1944, restera également gravé à jamais dans ma mémoire... le mercredi où on m'a fait prisonnier.

En fin de journée du 6 juin, la compagnie A à laquelle j'étais rattaché s'était arrêtée pour prendre position à La Mare. Nous avions réussi plus tôt à prendre notre objectif, soit l'emplacement d'une batterie de plusieurs canons au sud de Bernières. Comme durant la journée, j'avais passé une partie de la soirée dans mon véhicule à transporter des munitions. J'avais parfois à couvrir et à protéger l'infanterie à l'aide de la mitrailleuse installée à l'avant de la chenillette pendant que les soldats creusaient des tranchées. Étonnamment, je me sentais en sécurité dans mon véhicule, peut-être plus que mes comparses de l'infanterie qui allaient à pied devant moi; je me savais protégé des projectiles des armes légères. Pourtant, les bombes auraient pu faire monter plusieurs mètres dans les airs ma chenillette chargée de munitions explosives.

Je trouvais mon rôle très valorisant. En fournissant l'infanterie en munitions, je contribuais à éviter des pertes alliées.

Je me sentais utile pour ma compagnie. Nous formions une équipe où chaque unité, chaque peloton, chaque militaire avait un objectif. Nous devions faire tout ce que nous pouvions pour bien remplir notre rôle et, ainsi, éviter le pire.

Malgré le succès des actions menées par le Régiment jusqu'en fin de soirée, ma compagnie avait dû ralentir, car la 9ᵉ brigade d'infanterie qui nous devançait avait eu de la difficulté à progresser comme prévu. En fait, elle avait été assaillie ce soir-là. Les Allemands n'étaient pas censés venir jusqu'à eux; les plans avaient été plutôt dérangés. Nous avions dû créer un périmètre de défense. Quelques heures plus tard, alors que les soldats de ma compagnie avaient presque terminé de creuser leurs tranchées, une flotte motorisée ennemie avait réussi à pénétrer notre territoire. En peu de temps, il y avait eu autant d'Allemands dans nos lignes qu'à l'avant. En retrait derrière, je me souviens que le ciel avait été tellement éclairé par les explosions et les flammes que nous aurions pu croire au soleil levant. Les explosions au-dessus de nos têtes laissaient planer d'énormes nuages de fumée. Je pensais à Fernand Hains qui n'aurait plus jamais à être témoin de ce genre de spectacle, si violent et si inhumain. Je lui souhaitais toute la paix qu'il méritait.

Se défaire des Allemands avait été plutôt laborieux. Vers deux heures trente, le matin du 7 juin, poussé par la curiosité, je suis descendu de mon véhicule pour aller voir les gars de l'infanterie à l'avant. J'ai rencontré des officiers et je me suis informé quant à l'origine de cet assaut. Quelque temps après, je suis retourné à mon véhicule, stationné un peu plus loin derrière les lignes d'attaque, à environ dix minutes de marche. Des dizaines de véhicules en feu parsemaient la route et les champs. La nuit était chaude et le ciel était couvert. Si je m'étais mêlé de mes affaires et étais resté dans mon véhicule un peu plus tôt, cette nuit du 6 au 7 juin aurait été bien différente.

Il y avait toujours des Allemands à l'intérieur de nos lignes. Des face-à-face avec l'ennemi devenaient imminents, surtout pour un soldat comme moi, à pied et peu armé. J'avais seulement un pistolet en ma possession, mais je n'excellais pas particulièrement au tir. Bref, je devais constamment être sur mes gardes. Au front, nous devions faire preuve de ruse en tout temps; nous jouions au chat et à la souris. Si nous voyions un ennemi qui faisait de la garde et qui marchait, nous essayions de marcher dans la même direction que lui. S'il arrêtait, nous arrêtions. Nous avions appris à nous fondre dans le paysage et à être les plus discrets possible. Nos vies pouvaient en dépendre.

Avant que je sois rendu à mon véhicule, j'ai vu des Allemands se diriger dans ma direction. Je me suis couché sur le dos dans un champ de blé et je suis demeuré immobile, mais ils m'avaient entendu arriver. Ils savaient que j'étais là. Ils ont commencé à tirer de la mitrailleuse, un peu au hasard, vers ma position. Je voyais passer des balles lumineuses qui fauchaient les épis de blé, lesquels laissaient tomber leurs grains sur mon visage. Je retenais mon souffle, comme si le bruit de ma respiration pouvait percer le vacarme des bombardements tout autour de nous. Je me pensais à l'abri pour un moment, mais j'entendais mes poursuivants marcher dans le champ. Ils s'approchaient de plus en plus. Mon cœur battait à un rythme alarmant. J'ai fermé les yeux et ai agrippé les herbes écrasées par les roues de camion. Je me disais: « Ça y est, mon tour est venu! » La peur d'être malmené prenait le dessus sur ma crainte d'être tué. Puis, comme je l'appréhendais, la courte distance qui me séparait des Allemands m'a obligé à me rendre. J'ai déposé mon pistolet sur le sol et levé les mains tranquillement. J'étais apeuré.

Ils étaient cinq. Il devait être trois heures lorsqu'ils m'ont arrêté. Quelques minutes m'ont été nécessaires pour réaliser ce qui était en train de se produire. Maintenant, ce n'était plus qu'aux autres que cela pouvait arriver, je l'ai vite compris. Je n'avais pas mangé depuis plus de vingt heures et je comprenais que je ne devais pas m'attendre à me sustenter au cours des heures qui suivraient. En allemand, ils m'ont dit de me rendre. Je leur ai demandé en anglais s'ils parlaient français ou anglais. Finalement, l'un d'eux a commencé à me parler en français. Étrangement, j'ai été tout de suite un peu plus confortable. Il s'est mis à me poser des questions en rafale sur un ton condescendant : où étaient mes troupes, combien nous étions, depuis quand étions-nous débarqués… J'avais des réponses. Elles n'étaient pas tout à fait véridiques, mais je leur disais ce qu'ils voulaient entendre. J'imaginais des objectifs et des intentions que mon régiment pouvait avoir. Dans ma tête, les idées défilaient rapidement et je me débrouillais tout de même bien dans mes mensonges.

Ces cinq Allemands ont emprunté la route à pied et m'ont placé devant eux pour se servir de moi comme détecteur de mines. En effet, sur des pancartes, il était inscrit : « *Achtung Minen* ». Ces mots étaient traduits en français pour les civils par : « Attention aux mines ! » Chaque fois que ma botte touchait le sol, un frisson me parcourait l'échine. La peur de déclencher une explosion qui allait m'arracher une jambe ou me couper le corps en deux m'envahissait. Je ne voulais pas souffrir ; je pouvais endurer bien des supplices comme de ne pas dormir et de ne pas me nourrir pendant des jours, mais je craignais la douleur. J'aurais tout aussi bien pu mourir sur le coup, une option qui aurait été favorable dans mon cas. J'étais terrifié. Seul un fou ou un menteur pourrait prétendre qu'il n'a jamais eu peur au front. La crainte d'être tué, malmené, séquestré, mutilé, laissé à soi-même était présente au cœur de tous les militaires qui foulaient le champ de bataille. Les moments de répit pour l'esprit et le corps étaient plutôt rares. L'adrénaline arrivait souvent à prendre le dessus.

Je me trouvais à quelques mètres de mes gardiens, mais ils ont tout de même discuté avec moi durant le trajet. Cette

soudaine amabilité à mon égard me rendait un peu plus nerveux, plus craintif. Ils me parlaient de leur guerre et je leur
parlais de la mienne, en faisant toujours attention à chaque mot
qui sortait de ma bouche. Eux, ils étaient convaincus que c'était
une question de jours avant qu'ils repoussent les forces alliées
vers la mer. Je pensais évidemment l'inverse. Lorsque le jour a
commencé à se montrer le bout du nez, deux heures s'étaient
écoulées depuis le début de notre marche à travers les champs
bombardés. Je commençais à faiblir. Les déplacements, la
fatigue, le jeûne et l'angoisse avaient eu raison de mon énergie.

Nous nous sommes finalement immobilisés devant une
des multiples maisons quasi démolies par les bombardements.
La façade avait été détruite et le toit avait brûlé presque au
complet. Avec le canon de sa mitrailleuse, l'Allemand qui parlait français m'a poussé vers l'entrée du sous-sol. Nous avons
dévalé les marches rapidement, comme si nous étions suivis. Il
faisait très noir à l'intérieur. La pièce dégageait une forte odeur
d'humidité et de moisissure. Je me souviens du plafond qui me
semblait très haut. On m'a fait asseoir sur la première marche
de l'escalier et les Allemands ont pris place sur des chaudières
tournées vers le sol et sur des boîtes. Une petite fenêtre au fond
de la pièce laissait entrevoir une lueur, mais elle était presque
tout obstruée par les débris du toit qui s'était écroulé. Je pouvais
à peine entrevoir les cinq soldats allemands, peut-être prêts à
me trancher la gorge.

Cela faisait presque trois jours que je n'avais pas dormi; j'étais
affaibli. J'implorais ma tante Alma de prier pour moi. Il m'arrivait
de lever les yeux au ciel pour prier les membres de ma famille
décédés. Je n'y croyais pas plus qu'il le fallait, mais je voulais
simplement tout faire pour mettre la chance de mon côté. J'étais
convaincu que le destin jouait un rôle important dans ma vie et
que ma captivité n'était qu'un obstacle sur ma route.

Le moment présent était tout de même rassurant, mais c'était ce que mes geôliers allaient faire de moi qui m'inquiétait. Si je ne démontrais pas mon angoisse, elle ne me rongeait pas moins. Nous sommes restés dans cet endroit fermé toute la journée du 7 juin. Puisque nous étions dans un lieu entouré par les Alliés, j'imagine que nous devions nous cacher le temps que les troupes se dispersent. Ainsi, les Allemands pourraient me conduire plus aisément en territoire occupé pour me constituer prisonnier... ou pour faire de moi leur esclave. Juste d'y penser, j'en avais la nausée. Pendant ces longues heures, les cinq Allemands ont fumé les deux paquets de cigarettes que je possédais encore. Ils m'en ont donné quelques-unes. Les coudes posés sur leurs genoux, la cigarette collée aux lèvres ou enfoncée dans le creux des doigts, armes à leurs pieds, ils discutaient entre eux et fixaient le sol.

Le gars qui parlait français devait avoir quelques années de plus que moi, soit le début de la trentaine. Il avait un accent français. J'ai su qu'il avait voyagé beaucoup à travers l'Europe et qu'il avait travaillé à Paris. Il me posait des questions de temps en temps, mais il s'intéressait davantage à ce que ses frères d'armes lui disaient. Il était très grand et très mince. Les autres étaient plus gros. Ils étaient tous grands et avaient les cheveux blonds. C'était de beaux jeunes hommes. Ils m'avaient dit leur nom, mais je les avais vite oubliés. Je n'aurais pas pu les prononcer de toute façon. Ils ne m'ont jamais demandé le mien. Ils ont jeté un coup d'œil sur mes inscriptions, mais le Régiment de la Chaudière ne leur disait rien.

Ils parlaient constamment entre eux et, à un certain moment, j'ai cru qu'une dispute survenait au sein du groupe. Mais, quelques minutes plus tard, ils riaient et démontraient un calme alarmant. C'était plutôt l'impression que la langue allemande avait sur moi qui m'avait fait croire à une mésentente. J'ai toujours trouvé que cette langue avait une intonation agressive et sèche, comme si les interlocuteurs étaient perpétuellement en train d'argumenter ou de se quereller. C'était très angoissant de ne rien comprendre. J'avais peur qu'ils manigancent un plan cruel pour se débarrasser de moi ou qu'ils songent à m'envoyer travailler dans les mines le reste de ma vie. J'imaginais différents scénarios sur mon sort si je finissais par sortir de ce sous-sol délabré. Je gardais constamment en tête ce qu'on nous avait répété à Aldershot : « Les Allemands ne s'embarrassent d'aucun Allié fait prisonnier. Ils s'en débarrassent tout simplement ! » Chaque fois qu'un des cinq hommes bougeait un membre, se levait, toussotait ou me parlait, mon cœur faisait un trois cent soixante degrés sur lui-même et je sentais mon visage bouillir. Je craignais que ces Allemands ne deviennent soudain des tortionnaires sans pitié.

J'avais un poignard dans ma botte et ils l'avaient remarqué. Un peu plus tôt, le plus baraqué des cinq m'avait immobilisé contre la poutre de l'escalier et s'était penché pour le ramasser. S'il avait suivi le même cours d'autodéfense que moi, il savait comment utiliser le poignard. Il suffisait de le planter d'un coup sec entre la clavicule et l'omoplate au niveau du trapèze supérieur pour transpercer le cœur. Apparemment, les gens qu'on poignarde de cette façon ne laissent échapper qu'un léger soupir. Ils ne crient ni ne bougent. Ils se figent et meurent. On évite ainsi les bruits qui pourraient attirer l'attention de l'ennemi.

Je craignais qu'ils ne me réservent ce sort. Ou encore, qu'ils ne me maintiennent contre le mur et m'enfoncent tranquillement un couteau ou une baïonnette dans les côtes, juste assez pour que je souffre et que je ne sois plus capable de bouger ou de parler. Seul, sans arme et affaibli, je n'aurais pas su me défendre contre ces hommes. Je ne résistais donc aucunement à leurs ordres. Ce n'était pas le moment de jouer au héros ou d'agir sous le coup de l'orgueil et l'impulsivité.

De temps en temps, nous nous levions chacun notre tour pour marcher et nous dégourdir les jambes. On évitait de parler trop fort ou de faire du bruit. Des militaires passaient tout près de la maison. Nous ne savions pas où nous étions, car l'obscurité de la nuit précédente ne nous avait pas permis de nous situer dans La Mare. Nous ne devions pas être très loin d'une grande route, car nous entendions passer des véhicules : des tanks et des camions canadiens; je le savais au son des moteurs et par la langue dans laquelle les soldats communiquaient.

Je faisais remarquer à mes geôliers qu'il allait être difficile de sortir de là sans se faire prendre par les troupes alliées. Je leur disais avec espoir : « Ça ne vous tente pas qu'on sorte d'ici avec un mouchoir blanc? » Ils ne flanchaient pas.

Malgré l'ambiance très lourde, nous avons discuté et je leur ai raconté plein d'anecdotes et d'histoires sur ma vie. À quelques reprises, un des Allemands m'a averti de baisser le ton. Je faisais exprès, évidemment. Je leur avais fait croire que j'avais fait partie des Canadiens qui avaient participé à la guerre d'Italie. Là-bas, on disait que, si un homme était blessé ou fait prisonnier, il n'était pas censé retourner au front. Je leur avais dit que j'avais été blessé en Italie, mais que j'étais retourné au front par la suite après avoir passé quelques jours à l'hôpital. Je tentais ainsi d'attirer leur attention et leur sympathie.

Le soir du 7 juin, vers vingt-deux heures, ils ont décidé que nous allions quitter notre cachette, après avoir passé près de vingt heures accroupis dans ce sous-sol humide et obscur. Malgré les heures de veille qui se comptaient par dizaines, l'adrénaline était mon seul carburant. Les Allemands savaient que, s'ils sortaient, ils pouvaient se faire tuer. Je le savais aussi. J'étais également une cible, peu importait devant quel camp je pouvais me retrouver. Le but était de sortir quand il ferait assez noir pour que nous ne nous fassions pas voir, mais assez clair pour que nous soyons en mesure de nous orienter. Ils devaient trouver une façon de quitter les lignes alliées et de retrouver leurs confrères. Je suis sorti en premier à l'extérieur, mitrailleuse pointée dans le dos.

Quand les Allemands sont sortis, ils ont regardé tout autour en se parlant entre eux. J'aurais bien aimé comprendre ce qu'ils disaient. Je voyais bien leur air interrogateur et je leur ai demandé ce qui se passait. Ils se sont alors tournés vers moi et m'ont dit qu'ils étaient désorientés et qu'ils ne savaient pas où aller. J'en ai éprouvé une sorte de soulagement, comme si je constatais soudain que mes gardiens n'étaient pas infaillibles.

Mon sens de l'orientation allait peut-être me sauver. Les astres me permettaient de savoir où se situaient le nord et le sud : « Écoutez, ai-je dit, plus confiant que le matin, j'ai le sens de l'orientation. C'est facile, des véhicules brûlaient la nuit passée. Ils sont là, toujours en train de brûler. Nous sommes donc venus de là. » Ils n'avaient franchement pas l'air convaincus de ce que j'affirmais, mais c'était assez pour semer l'incertitude dans leur tête. Leur manque de confiance m'a tout de même aidé.

Dès lors, je suis devenu leur guide ; ils souhaitaient que je les oriente vers leur territoire. Mon intention était tout autre, évidemment. J'avais déjà préparé un plan dans ma tête et tracé le chemin qui pourrait me mener vers ma libération. Nous avons marché plusieurs heures à la recherche de leurs troupes. À nouveau je devais jouer les démineurs, quelques mètres devant eux. Il suffisait pour moi d'être à la mauvaise place au mauvais moment et je disparaissais.

Quand survint l'aurore du 8 juin, je savais que je m'approchais de plus en plus de mon objectif, celui d'atteindre mes lignes. En fait, j'avais entendu passer un de nos tanks très tôt et je me dirigeais dans la même direction que lui ; je savais que j'étais au bon endroit. Même si je me trouvais en terrain allié, j'étais très nerveux à l'idée de devoir manifester ma présence au bataillon qui allait se trouver sur notre chemin. Les Canadiens étaient très méfiants quand arrivaient des militaires dans leurs lignes. Il fallait s'identifier rapidement et correctement en présentant son mot de passe. J'éprouvais une grande crainte. Je me suis même surpris à penser qu'un compagnon d'armes pouvait très bien mettre fin à mes jours.

Malgré la peur, je ne voulais pas d'un avenir où ma propre liberté serait compromise. Je me suis retourné et, avec toute l'assurance que je pouvais encore simuler, j'ai dit aux cinq Allemands que j'aimais mieux mourir que d'être leur prisonnier. Je n'avais que vingt-trois ans et je leur lançais en plein visage mon désir d'être tué plutôt que de devenir un prisonnier de guerre. Je tentais du mieux que je pouvais de dissimuler ma nervosité. J'avais le cœur serré, mais j'étais résigné. J'avais trop entendu parler des prisonniers de la Première Guerre, de la bataille d'Italie ou celle du Japon, qui avaient passé par des souffrances épouvantables. On racontait que des soldats qui pesaient quatre-vingt-dix kilos à leur arrivée au camp de prisonniers en pesaient quarante-cinq à leur sortie. Ne pas savoir combien de temps j'allais être sous les ordres de l'ennemi me donnait également la frousse. Certains croyaient que de devenir prisonniers leur permettrait de se libérer de leurs fonctions de soldat et de voir la guerre se terminer pour eux. Je n'en étais pas convaincu.

Finalement, le temps où je devais tenter de recouvrer ma liberté était arrivé. Des silhouettes de soldats alliés sont apparues au loin. Je me suis empressé de hurler mon mot de passe deux ou trois fois en criant de ne pas tirer. Je craignais que la réaction des Allemands devant ma soudaine intervention me soit fatale.

Un des Allemands m'a attrapé l'épaule en pointant son arme vers moi. Il m'a adressé un regard inquisiteur en fronçant les sourcils et m'a demandé ce que j'étais en train de faire. «Écoutez, ce sont mes amis qui sont là. Ils possèdent des armes Vickers qui tirent cinq cents balles à la minute. Alors, vous lâchez vos armes et vous vous rendez, ou je pousse un cri et on va tous se faire tirer dessus.» Je voulais les convaincre que toute résistance était inutile, considérant la supériorité des troupes alliées. Nous étions bien entraînés, nombreux et déterminés à avancer dans les terres françaises. Ils se sont parlé et, étonnamment, ils ont déposé leurs armes à leurs pieds. Seul le plus grand des hommes ne s'est pas laissé désarmer sur le coup. Il s'est avancé vers moi, son revolver à la main. Je pensais m'effondrer; j'imaginais le pire. Il devait bien percevoir ma nervosité. Je me trompais. Il a déposé son arme dans ma main en marmonnant une phrase en allemand. Celui qui parlait français m'a dit: «Il te fait un cadeau.»

Les rôles venaient d'être inversés. Les cinq Allemands avaient déposé les armes et s'étaient constitués prisonniers. Je les ai aussitôt dirigés vers nos installations. C'était, je crois, le *Black Watch of Canada* qui avait pris position à cet endroit. Je me rappelais bien ce bataillon écossais de la 2ᵉ division d'infanterie canadienne: le son de leurs cornemuses qui m'avaient cassé les oreilles tout au long de ma traversée de l'Atlantique en 1942 me résonnait encore dans la tête. Peu importait, j'étais bien heureux d'y voir mes couleurs.

Après m'être identifié comme chauffeur de la compagnie de support du Régiment de la Chaudière, j'ai demandé qu'on me prête un camion afin que j'aille conduire moi-même mes nouveaux prisonniers à l'endroit prévu, ce qu'on m'a accordé aussitôt. Je devais retourner sur le littoral, vers le bateau qui allait transporter les cinq Allemands vers leur lieu de captivité. Les prisonniers étaient embarqués pour les camps d'internement au

Canada, aux États-Unis ou en Angleterre où on les faisait travailler. Au Canada, entre autres, des camps avaient été établis en Ontario, en Alberta et au Québec.

Lorsque nous sommes parvenus sur la plage, les cinq Allemands m'ont serré la main chacun leur tour en me disant, sourire en coin : « Notre guerre est finie, mais pas la tienne. »

Tout était bien qui finissait bien, mais j'avais appris une dure leçon. Alors que j'étais bien à l'abri dans mon véhicule, la curiosité m'avait perdu et près de trente heures d'angoisse s'étaient ensuivies. J'étais seul au monde dans mon pétrin. Je n'avais personne à qui parler, personne en qui avoir confiance, personne vers qui me tourner pour me sécuriser. Je pouvais me faire tuer ou blesser à tout moment. J'avais déjà perdu près de quatre kilos durant les trois premiers jours du débarquement. Puis, la vie m'avait accordé une nouvelle chance.

Aujourd'hui, quand je repense à cet épisode où je suis devenu prisonnier de guerre, je constate que mon histoire se serait terminée bien autrement si je n'avais pas réussi à conserver mon calme et à demeurer vif d'esprit. Je ne remercierai jamais assez le ciel de m'avoir donné le courage de parler et d'être aussi persuasif. Je ne pouvais espérer un dénouement plus positif dans les circonstances.

Sur le plan personnel, je pense que ce moment a été la période la plus stratégique dans toute ma guerre. Un article a d'ailleurs été écrit sur cette péripétie. En effet, quelques jours plus tard, un journaliste est venu me voir et m'a interviewé quelques minutes. C'était Maurice Desjardins, un Canadien français qui a suivi les faits d'armes au front. Le major Lapointe a également pris la parole pour compléter mes propos sur l'événement : « (…) le soldat Germain Nault de Bromptonville, qui perdit une dizaine de livres pendant les trois premiers jours à conduire une chenillette pleine d'explosifs, fut aussi fait prisonnier durant la bagarre, mais il parla si bien aux Allemands pendant la nuit qu'il les convainquit que toute résistance était inutile, à cause de notre trop grande supériorité à tous les points de vue, et ils se laissèrent désarmer. Le matin du 8 juin, nous vîmes arriver Nault et ses cinq Allemands, heureux de s'en tirer à si bon compte. »

J'ai été très satisfait de l'article publié. Il était très concis, mais je l'ai pris comme la reconnaissance de mon sang-froid et de ma vigilance.

Si j'avais la chance de rencontrer à nouveau ces cinq Allemands, j'en serais très heureux. Je crois qu'à plus de quatre-vingt-dix ans, nous serions en mesure de prendre à la légère ce qui nous est arrivé. Je n'ai jamais oublié les heures d'appréhension que j'ai vécues, mais les émotions s'émoussent avec le temps. Ces Allemands m'ont bien traité, tout compte fait. Ils ne m'ont jamais menacé ni manqué de respect. Je me dis qu'ils étaient aussi malheureux que moi d'être au front. Ils étaient contraints d'être là; ce n'était pas comme nous. Pour la plupart, nous étions libres de nous engager ou non et, même après cet épisode, à travers les bombes et les cadavres, je n'ai jamais vraiment regretté de m'être enrôlé. J'étais fatigué, blessé, malheureux, mais j'avais accepté mon sort.

Pendant que je me trouvais encore aux installations qui effectuaient le transfert des prisonniers, je regardais autour de moi et ne voyais que des Alliés qui ne m'étaient pas familiers et des détenus allemands. J'avais hâte de regagner mon poste et de revoir les visages des hommes que je connaissais. Un dénommé Bouchard est arrivé sur les lieux et je lui ai demandé si un soldat pouvait me conduire là où était ma troupe. Il m'a informé que plusieurs chauffeurs étaient décédés la veille et qu'il allait être difficile de donner suite rapidement à ma demande.

Bel exploit, en France, du soldat Germain Nault de Bromptonville

AVEC LES CANADIENS, en France, 27. (Dans l'un de ses premiers articles envoyés de la Normandie, en Français, Maurice Desjardins, correspondant de guerre des journaux de langue française pour la Presse Canadienne, qui a décrit la campagne d'Italie, raconte une longue description faite des premiers combats de Normandie par le major Hugues Lapointe, de Québec, dont certains détails sur la conduite héroïque de quelques soldats des Cantons-de-l'Est, que nous publions ci-dessous).

Après avoir déclaré que le lieutenant Donat Michaud, de Rivière-du-Loup, était le seul officier de sa compagnie qui ne fut pas tué ou blessé, durant la journée mémorable du 6 juin, et avoir dit qu'au moment du débarquement sa compagnie comptait 115 hommes et, 24 heures plus tard, rien que 50, le major Lapointe a cité les traits suivants d'un combat de lions contre les Allemands, pendant trois heures, vers minuit, près de Colombie-sur-Thaon:

"Il y eut des échanges de grenades à 15 pieds et des prisonniers faits de part et d'autre. La ligne était floue et il y avait autant d'Allemands dans nos lignes que devant nous.

"Le soldat Gérard Lapierre de Lac-Mégantic, l'ordonnance du lieutenant Michaud, l'échappa belle, lorsqu'une balle transperça son casque de part en part, sans toutefois l'égratigner. Un autre soldat canadien français, qui faisait partie du groupe des anti-chars, fut moins chanceux. Il reçut une balle dans la tête après avoir détruit personnellement quatre des chars blindés allemands. Il combattit et mourut en héros.

"Je connus moi-même des moments d'anxiété, ajoute le major Lapointe. Les Boches franchirent ma tranchée et s'emparèrent d'un de nos canons, environ 40 pieds derrière moi.

"Accompagné du soldat Jack Roy, de Vancouver, un Juif qui est avec nous depuis 4 ans et qui a le physique d'un Jos. Montferrand, je rampai dans le foin, jusqu'à proximité du canon. Je tuai l'un des trois Allemands avec une grenade et Roy se chargea des deux autres avec sa mitraillette Sten.

"Plus tard, Roy fut fait prisonnier par six Boches qui lui plantèrent des baïonnettes dans les côtes. Il resta calme et disposa de celui qui le conduisait à l'arrière, en lui plongeant son couteau de commando dans la gorge."

"Un autre de mes hommes, le soldat Germain Nault, de Bromptonville qui perdit une dizaine de livres pendant les trois premiers jours à conduire une chenillette pleine d'explosifs, fut aussi fait prisonnier durant la bagarre, mais il parla si bien aux 5 autres Allemands, pendant la nuit, pour les convaincre que toute résistance était inutile, à cause de notre trop grande supériorité à tous les points de vue, qu'ils se laissèrent désarmer. Le matin du sept, nous vîmes arriver Nault et ses cinq Allemands, heureux de s'en tirer à si bon compte."

G. NAULT 1 JANVIER 1945

NIMÈGUE HOLLANDE

Article traitant d'un fait d'armes de Germain Nault, paru le 27 juin 1944
Source : *La Presse canadienne*

Au même moment, plusieurs tanks alliés sont arrivés sur la plage. Des requêtes avaient été acheminées pour que ces tanks soient ravitaillés au front. Bouchard m'a alors demandé de rester et d'être chauffeur pour son unité en raison du manque d'effectif pour ce poste. J'ai accepté en espérant revenir dans ma division bientôt. J'ai conduit des tanks pendant environ une heure. Je sillonnais les villages français du sud afin de remettre ces véhicules aux différentes unités. Je constatais les ravages de la guerre à chaque coin de rue. Lorsque nous sommes arrivés près de la rivière Mue, à la hauteur de Moulineaux, j'ai troqué le tank que je conduisais alors pour un char *Bren Carrier*. Ce n'est qu'en fin d'après-midi que j'ai enfin rejoint mes gars, après qu'une brigade m'eut mentionné qu'ils étaient établis à quelques minutes de là.

Le destin avait fait son bout de chemin et je devais retourner au front, à travers les violences meurtrières auxquelles personne d'entre nous ne pouvait échapper. J'étais malgré tout content de reprendre mon poste auprès de mes frères d'armes. Je croyais dur comme fer à la Providence et j'avais toujours en tête que, lorsque ce serait mon tour, je mourrais à la place que le destin m'aurait assignée, que ce soit dans mon lit au Canada ou dans un champ en Normandie. Les longs mois qui ont suivi m'ont davantage permis de croire que je n'étais pas destiné à quitter ce monde...

Chapitre 8

Début d'une longue bataille

Missions de sauvetage

La bataille de Normandie m'en avait fait voir de toutes les couleurs jusqu'à ce jour. La mort de Fernand et les heures passées en captivité m'avaient en quelque sorte fait perdre de vue les objectifs du Régiment, mais on m'a vite réintégré et affecté à de nouvelles tâches. La fatigue était extrême et je ressentais de la faiblesse dans tous mes membres, mais je devais poursuivre mon travail malgré ma mésaventure récente. En situation de guerre, il n'y a pas de place pour les hourras du retour des prisonniers ou le repos de ceux qui n'ont pas eu le temps de dormir.

Le 8 juin au soir, mon travail sur la ligne de feu reprenait de plus belle. J'ai dû aller chercher des soldats dans une carrière de Fontaine-Henry. Nous avions eu comme renseignement que certains de nos gars étaient hors de combat, c'est-à-dire tués ou blessés, et qu'ils étaient à proximité de soldats ennemis, également éclopés. Plus tôt le même jour, une attaque alliée avait été prévue à cet endroit sur la position allemande. C'était le capitaine Gauvin, alors commandant de la section des chenillettes *Bren Carrier*, qui avait négocié avec l'ennemi l'évacuation des blessés alliés qui étaient demeurés dans la mire de nos canons. À la demande d'un Allemand brandissant le drapeau blanc, Gauvin s'était rendu dans la carrière où il avait découvert plus d'une cinquantaine de militaires, alliés et ennemis, entre la vie et la mort. Le capitaine Gauvin avait alors posé ses conditions à l'officier : les blessés allaient être conduits aux médecins à condition que la troupe allemande se rende. C'était ce qui s'était produit.

Je suis donc monté dans une chenillette avec le major Taschereau dans le but d'aller récupérer nos blessés, suivi de près par des camions de la Croix-Rouge. J'ai encore en mémoire l'image du major, debout dans le véhicule, tentant de repérer le lieu de sauvetage. Les tirs avaient cessé, de sorte que nous étions un peu moins craintifs.

Arrivés à destination, nous sommes descendus dans la carrière. Il faisait très sombre dans ce trou. Nous ne savions nullement à quoi nous attendre, mais nous avions prévu le pire. Après quelques minutes à progresser, des silhouettes humaines se sont dessinées peu à peu sous nos yeux à la lumière de chandelles. Là, nous avons vu l'horreur de la guerre. Nos gars étaient très mal en point. Je me suis dit que je devais faire mon travail, sans sombrer dans un tourbillon d'émotions à la vue de ces atrocités. Je savais que la panique n'engendrerait rien de bon. L'odeur du sang, les cris de douleur, les corps et les visages ravagés brouillaient nos sens... Il fallait agir vite et éviter de rester figés devant cette scène.

Nous sommes allés chercher nos blessés avec des brancards spéciaux. Je devais en avoir trois ou quatre dans mon véhicule. Avec l'aide des brancardiers de la Croix-Rouge, nous avons sorti tous les hommes de la carrière pour les amener aux médecins à l'extérieur. Ceux-ci devaient faire le tri des cas qu'il était possible de soigner afin qu'ils puissent recevoir l'aide nécessaire en d'autres lieux. Il était malheureux de constater que le sort de certains n'inspirait rien de positif et que le seul soulagement possible pour eux était la morphine et l'eau.

Ce fut une journée lourde en émotions, mais ce n'était que

le début d'une longue bataille. Ce genre d'opération de sauvetage, j'ai dû le répéter plusieurs fois durant les mois qui ont suivi.

À la mi-juin, le Régiment de la Chaudière devait avancer dans les terres françaises en longeant la rivière Mue. Nous avons dû affronter de bonnes résistances allemandes dans plusieurs villages. À certains endroits, les Allemands préféraient parfois que d'autres fassent le travail à leur place. En effet, quelques jours après le débarquement, deux jeunes Françaises qui s'étaient alliées aux Allemands ont tenu notre régiment en haleine pendant plusieurs heures. Elles maniaient six mitrailleuses disposées dans différentes fenêtres de l'immeuble où elles étaient postées et faisaient de nous leur cible. Nos hommes ont finalement réussi à entrer afin de faire taire les tirs. Les gars n'ont eu aucune pitié. Ils ont carrément coupé en deux les deux traîtresses avec leur mitrailleuse.

Bien des femmes s'acharnaient à détruire les leurs sous l'influence des soldats de Hitler. Elles avaient été assimilées depuis le début de la guerre, lors de l'occupation, et les Allemands se servaient d'elles pour arriver à leurs fins. Certaines se laissaient charmer et tombaient même amoureuses de leurs bourreaux. Elles trouvaient dans leur camp une certaine sécurité et des privilèges. Elles échappaient aux restrictions imposées aux autres civils des villes occupées. On rasait la tête de celles qui étaient prises par les autorités françaises pour les punir de leur trahison; cela se faisait généralement en public[15].

Parfois, cependant, il s'agissait de véritables histoires d'amour qui pouvaient tout aussi bien passer inaperçues. Elles étaient soupçonnées par leur pays, avec raison ou non, de collaboration

---

15. Alain BROSSAT. *Les Tondues – Un carnaval moche*, Levallois-Perret, Éditions Manya, 1992.

avec l'armée allemande et étaient marquées de la lettre écarlate, au sens figuré, pour adultère ou conduite antipatriotique. Nous apercevions souvent de ces femmes dans les villes que nous libérions. Elles arboraient le turban pour cacher leur crâne rasé, honteuses de leur déshonneur. Nous avions été bien avertis de nous mêler le moins possible à ces Françaises, vu leurs relations condamnables et les risques d'espionnage.

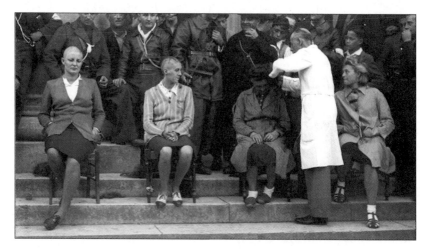

En septembre 1944, femmes rasées sur les marches
du palais de justice de Bergerac, en France
Source : Photo Bondier

Notre avancée allait bon train. Nous sommes restés un certain temps dans le village de Rots où se déroulaient des combats très violents. Il s'agissait d'un vrai massacre. Les civils qui étaient demeurés sur place avaient la vie dure. Certains étaient pourtant là pour nous offrir de quoi nous nourrir. La fille du boulanger était debout dans l'entrée de son commerce et nous donnait de petites miches de pain et des croissants qu'elle avait réussi à cuisiner. Cette dame, un frère d'armes, le sergent Gagné, en fera sa femme quelques années après la guerre.

Ce furent des combats comme celui de Rots qui incitèrent les correspondants de guerre à faire l'éloge du Régiment de la

Chaudière pour ses succès durant les hostilités. De la ville, on pouvait voir les hangars de l'aérodrome de Carpiquet et aussi, au loin, la ville de Caen, deux centres importants qui allaient être le théâtre de batailles sanglantes.

Nous avons réussi à faire fuir la terrible 12e division Panzer SS lors de ces féroces batailles. Cette division blindée regroupait une grande majorité de membres issus des Jeunesses hitlériennes – *Hitlerjugend*. On les reconnaissait à leur habillement, car ils étaient beaucoup plus soignés que les autres soldats allemands. Ces hommes, pour la plupart, avaient entre quatorze et dix-huit ans. Ils avaient été formés pour devenir des surhommes sans pitié. Au cours de leur formation, on tolérait une certaine barbarie des plus vieux sur les plus jeunes; de cette façon, on évinçait les plus faibles et on endurcissait les plus forts[16]. Les SS n'étaient pas censés se constituer prisonniers; ils s'enlevaient la vie par loyauté à l'Allemagne. Ils étaient convaincus de leur supériorité sur tous les points. Nous avions entendu dire que ces soldats, sous le commandement de Kurt Meyer, avaient torturé et abattu atrocement plusieurs prisonniers canadiens sans arme quelques jours après le débarquement. Nous savions qu'il fallait craindre cette division; on nous l'avait répété et nous l'avions toujours en tête.

Environ deux semaines après le débarquement, pendant que le Régiment se réorganisait et effectuait des patrouilles aux abords de Puto-en-Bessin, je suis allé faire de la reconnaissance avec le major Lapointe. En fait, des parachutistes alliés s'étaient échoués près de Caen lors du jour J et nous avions reçu l'information que certains d'entre eux avaient été faits prisonniers, alors que d'autres attendaient qu'on vienne les récupérer. Nous avions été choisis, le major Lapointe et moi, pour aller vérifier

---

16. Jean-Denis LEPAGE. *La Hitlerjugend* 1922-1945, Paris, Éditions Jacques Grancher, 2004.

et s'assurer que nos hommes étaient bel et bien à cet endroit. J'ai pris la route en pleine nuit, au volant d'une chenillette en compagnie du major, en pensant filer sans trop d'anicroches.

Kurt Meyer, à droite, en compagnie de Max Wünsche
et Fritz Witt à Caen, en juin 1944
Source : Archives fédérales allemandes

Mais nous avons eu toute une surprise : nous avons rencontré un convoi d'Allemands en cours de route. Étrangement, malgré l'énorme crainte que nous avions de devoir affronter nos ennemis, jamais l'idée d'abandonner notre objectif ne nous a effleuré l'esprit. Il était hors de question de renoncer. De toute façon, il n'y avait pas assez d'espace sur la route pour que nous puissions faire demi-tour avec notre véhicule. Nous avons foncé tête première et longé le convoi de tanks allemands. Il devait faire un kilomètre de long. Je ne savais pas si mon cœur avait arrêté de battre ou s'il battait tellement vite qu'il semblait s'être figé. J'ai alors repensé à ce que j'avais ressenti à l'approche des cinq Allemands lorsque j'étais allongé sur le sol la nuit suivant le débarquement. Il s'agissait de la même panique refoulée.

Il n'y avait aucune lumière et le ciel se faisait de plus en plus sombre. Nous entendions les échos des détonations d'artillerie au loin, un bruit qui était devenu plus que familier. Je me souviens d'avoir dit au major Lapointe de baisser son siège afin d'éviter d'être la cible des armes rivales. L'idée de voir les tanks foncer sur nous nous glaçait le sang. Toutefois, nous étions étonnés de constater qu'aucun Allemand ne semblait réagir à notre approche. Nous en avons déduit par la suite que c'était probablement par crainte d'une embuscade qu'ils préféraient rester immobiles. Nous avons dépassé le convoi, le regard figé sur des soldats allemands étendus çà et là sur le gazon, à première vue morts, et sur les nombreux tanks que nous longions.

Quand nous sommes arrivés au bout de cet alignement de véhicules, nous avons repéré nos gars; ils n'étaient pas très loin de l'ennemi et ils n'avaient pas eu connaissance de notre arrivée. Nous avons arrêté quelques minutes, qui m'ont d'ailleurs semblé interminables, le temps que le major Lapointe s'entretienne avec un officier allié pendant que moi, aux aguets, je restais assis dans mon char. Nous avons ensuite fait demi-tour pour repartir avec le même empressement qu'à l'aller.

Il va sans dire que nous avons roulé au maximum de la vitesse qu'un *Bren Carrier* pouvait atteindre. En revenant sur nos pas, nous avons remarqué l'absence des corps que nous avions aperçus un peu plus tôt sur le gazon. Ils avaient sans doute feint la mort, ne sachant trop si nous étions seuls ou si une partie du régiment nous suivait de près. Finalement, nous sommes sortis de cet énorme convoi, quelque peu essoufflés d'avoir retenu notre respiration aussi longtemps. Nous avions bien fait notre travail et d'autres soldats ont pu prendre la relève pour aller récupérer les parachutistes échoués.

Au cours des jours qui ont suivi, le Régiment devait

consolider les positions alliées, toujours fragiles. Les journées semblaient passer à une vitesse folle. Nous étions sans cesse dans l'action à crier pour essayer de percer le bruit épouvantable des explosions et des véhicules de combat en mouvement. Nous n'avions pas la notion du temps.

En plus d'effectuer le ravitaillement, il m'arrivait fréquemment de conduire le commandant à des réunions avant les attaques. Comme en Angleterre, c'était principalement le major Lapointe qui sollicitait mes services. Il me faisait confiance. Il m'avait même confié la photographie de sa femme peu avant l'embarquement précédant le jour J afin que je puisse le glisser dans la pochette imperméable dans laquelle j'insérais mes cartes géographiques. J'avais dit au major en plaisantant que, s'il lui arrivait malheur, je saurais bien m'occuper de sa femme à mon retour.

J'appréciais particulièrement mon travail en tant que chauffeur pour le commandant. Je rencontrais les autorités de tous les régiments canadiens; c'était impressionnant. Lors de ces réunions, un plan d'action était dévoilé et expliqué en détail à chacune des divisions. Tout ce qu'on devait faire était décidé d'avance par les autorités. J'écoutais avec attention ce qui se disait et je retenais les renseignements comme tout le monde. Ainsi, s'il arrivait quelque chose au commandant, c'était à moi que revenait le mandat d'informer les autres officiers des procédures qui avaient été décidées quant aux assauts.

L'enfer de Carpiquet

Les Allemands semblaient infatigables. Caen était devenue la ville à atteindre et nous savions qu'à son approche, la concentration de soldats ennemis était de plus en plus élevée. Il fallait se préparer au pire. En effet, les Allemands étaient bien installés dans Caen depuis le début des hostilités en Normandie. Ils y avaient amené des panzers, de puissants véhicules blindés qu'on disait presque indestructibles, et leurs lignes de défense étaient des plus solides. L'ennemi, tout comme nous, savait que la capitale du Calvados ne devait pas être cédée aux adversaires. Cette ville représentait le centre des communications des troupes allemandes et le passage vers Paris. Il nous fallait donc nous en emparer. Mais, pour atteindre Caen, il fallait passer par Carpiquet, un village fermement défendu situé à quelques kilomètres à l'ouest.

Un Panzer IV de la 12ᵉ divison Panzer SS
à Rouen, France, le 21 juin 1944
Source : Archives fédérales allemandes

Prévue le 4 juillet, la prise de Carpiquet avait été confiée à la 8ᵉ brigade à laquelle mon régiment appartenait. Je savais un peu ce qui nous attendait; grâce à mon travail de chauffeur pour le commandant, j'en avais été informé lors de la réunion des officiers quelques jours auparavant. Le Régiment de la Chaudière avait pour objectifs de prendre en premier lieu le village de Carpiquet et en second lieu un groupe de hangars connu sous le nom de « hangars du nord », situé sur un champ d'aviation à l'extrémité sud du village. Ces endroits faisaient partie du dispositif de défense de nos ennemis. Il était donc primordial pour nous de réussir.

Dans la nuit du 3 au 4 juillet, la compagnie A à laquelle j'étais attaché pour le transport a avancé tout près de Carpiquet. Elle devait partir de cette position vers quatre heures du matin, l'assaut étant prévu à cinq heures. Les déplacements nécessaires à la prise de position devaient s'effectuer la nuit, en toute discrétion; il ne fallait pas provoquer les attaques ennemies prématurément. Cependant, juste un peu avant d'arriver dans la ville, nous avons été obligés de retraiter, non pas à cause d'une subite invasion allemande, mais à cause d'une odeur épouvantable qui se dégageait des centaines d'animaux morts, des chevaux et des vaches principalement. Il était impossible pour nous de résister à cette puanteur. J'avais déjà respiré les émanations de cadavres d'animaux lorsque j'étais jeune et que je travaillais à la ferme, mais, là, l'odeur allait bien au-delà de mon seuil de tolérance. C'était insupportable. Il nous fallait à la fois tenter d'oublier la vision d'horreur qu'offraient les centaines de carcasses et respirer tant bien que mal l'air répugnant du lieu. Des malaises se manifestaient parmi les soldats. Les nausées devenaient inévitables et la concentration nécessaire pour mener à terme notre plan d'attaque était ébranlée. Nous ne pouvions pas non plus utiliser l'eau des puits ou des rivières; elle avait pris la couleur du sang et les bactéries s'y multipliaient assurément.

Nous n'aurions pas réussi à endurer ces conditions jusqu'au lendemain matin. Nous avons donc déménagé le convoi. C'était tout un défi. Nous devions déplacer des jeeps et des chenillettes, dont une qui m'avait été assignée. De plus, il n'y avait aucune lumière pour nous éclairer et bien nous orienter. Notre seule chance résidait dans des manœuvres les plus discrètes.

Nous nous sommes déplacés pendant près de trois heures

en tentant de ne pas trop nous éloigner du lieu de notre position d'attaque. Nous n'avons pas dormi de la nuit. Un peu avant quatre heures le 4 juillet, nous sommes revenus à l'endroit prévu et avons pris position au travers des nombreux canons et des troupes déjà établies. Les odeurs étaient déjà masquées par la fumée produite par notre artillerie.

Les Allemands, soit la 12ᵉ division Panzer SS, étaient bien placés. Ils étaient cachés dans des bunkers en ciment de plusieurs mètres de long reliés entre eux par des tunnels. Nous en éliminerons quelques-uns à l'aide de nos lance-flammes un peu plus tard. Quant à nous, notre seule protection à ce moment était l'écran de fumée constamment alimenté par nos canons. Il était difficile de voir devant et même derrière nous. Les Allemands tiraient beaucoup plus loin que notre position réelle, puisqu'ils ne nous distinguaient pas. C'était d'ailleurs réciproque.

Mon rôle était encore de fournir les munitions. L'infanterie avançait à sauts de grenouille dans les champs de blé de Carpiquet. Aux trois minutes, nos canons tiraient par-dessus les troupes, qui devaient avancer durant les intervalles. Mes compagnons d'armes étaient constamment en train de plonger à plat ventre pour éviter les tirs ennemis qui couvraient une très grande distance. Le bruit était épouvantable. Lorsque nous entendions le sifflement des obus qui se dirigeaient vers nous, cela faisait sans doute quelques secondes qu'ils étaient passés et nous ne savions pas où ils allaient s'écraser. La peur m'envahissait. J'étais terrifié par cet horrible chaos. Nous devions perpétuellement être alertes, mais nous étions épuisés. Au front, quand nous parvenions à dormir, c'était pendant que les Allemands prenaient une pause et qu'ils arrêtaient de tirer. Inutile de dire qu'à Carpiquet, personne n'a réussi à dormir. Venait un temps où nous devenions impatients, voire méchants. J'entendais parfois des gars dire : « Si je pouvais avoir une balle dans la tête, ça ferait bien mon affaire!» La bataille était très féroce et il fallait nous distraire de ces pensées et empêcher l'ennemi d'avancer.

Parfois, la distance qui nous séparait de nos adversaires était très mince. Malgré la peur et la fatigue, nous devions nous montrer forts afin de prendre la place.

L'arrivée des renforts a été fort appréciée. Lorsque les gars du *Sherbrooke Fusiliers Regiment* sont arrivés derrière nous, nous étions bien contents et surtout soulagés. Cette unité blindée appartenant à la 2e brigade blindée canadienne était formée de militaires chevronnés. C'était plutôt réconfortant pour moi d'apercevoir l'insigne de ce régiment que j'avais côtoyé au Québec. Je me sentais un peu moins étranger dans cette partie du monde. Quand nous menions des batailles importantes et que nous avions besoin du soutien du corps blindé, nous les sollicitions pour leurs véhicules. Avec leur aide, nous avons pu progresser plus rapidement et plus facilement dans le village.

Carpiquet a été le siège d'un véritable carnage, et ce, pendant plusieurs jours. Les historiens décriront cette bataille comme étant «l'enfer de Carpiquet». Plusieurs de mes compagnons d'armes ont été mis hors de combat dès la première journée des hostilités.

Il y avait plusieurs lignes dans nos rangs. Les soldats de la première ligne se creusaient des tranchées, ceux de la deuxième passaient par-dessus et se construisaient des tranchées à leur tour, et ainsi de suite. Puisqu'ils devaient avancer rapidement, il s'agissait de tranchées peu profondes, creusées pour abriter de un à trois soldats seulement. Ils osaient à peine en sortir, mais il fallait tout de même avancer.

J'ai bientôt dû quitter mon char pour me déplacer à pied,

avec mon revolver en guise de protection. En fait, j'étais fréquemment dans la mire de l'ennemi avec mon véhicule; il tentait la plupart du temps de détruire les chenilles de mon *Bren Carrier* ou de faire exploser la boîte arrière contenant les munitions. Pendant un certain temps, j'ai donc vécu la guerre des tranchées avec les autres soldats. C'était plus sécuritaire pour moi.

Les tirs arrivaient de partout à la fois, de jour comme de nuit, sans arrêt. Nous devions constamment marcher parmi les énormes trous d'obus. Il y avait de nombreux blessés sur le sol qui suppliaient qu'on les aide. Certains avaient des membres arrachés. Il m'est arrivé à quelques reprises de me faire accrocher la jambe par un de nos gars blessés, laissé à lui-même, qui me demandait de ne pas l'abandonner et de mettre fin à ses terribles souffrances. Je voyais des hommes tellement amochés que je me demandais s'il n'eût pas été plus humain de les achever d'un coup de revolver pour abréger leur douloureuse agonie. Je savais très bien que plusieurs d'entre eux ne survivraient pas. Je n'étais cependant pas médecin pour juger de leur état. Quand c'était possible, je leur envoyais les responsables et on parvenait souvent à les rapatrier dans des installations en retrait pour leur prodiguer des soins. Parfois, je devais ignorer ces gars pour ma propre survie.

Je voyais aussi des soldats morts; ils devaient avoir souffert le martyre avant d'expulser leur dernier souffle. C'était notre nouvelle réalité et je pouvais moi-même subir le même sort à tout moment. Je compatissais, mais chacun de nous devait se forger une carapace. C'était nécessaire pour ne pas sombrer dans la folie et perdre ses objectifs de vue.

J'étais essoufflé. L'adrénaline avait tellement pris possession de mon corps que je me sentais intoxiqué. Ma cage thoracique semblait se refermer sur mes organes. J'avais du mal à respirer et j'avais de terribles maux de tête en raison des tirs qui sifflaient constamment à mes oreilles. Il m'est arrivé à quelques reprises de crier de toutes mes forces, comme pour enterrer les bruits des hostilités quelques secondes. C'était la guerre comme on la voit au cinéma, mais cent fois plus terrible que lorsqu'on l'observe de l'extérieur. La vision de la fin du monde, je l'avais devant moi. C'était effectivement l'enfer dans Carpiquet. Les malheureux civils s'étaient cachés où ils pouvaient. Ils s'étaient creusé des tranchées. Je me souviens d'avoir frémi à la vue d'enfants apeurés par les pluies de balles. Je ne pouvais concevoir qu'une telle brutalité fasse partie de leur réalité, eux qui étaient si jeunes.

Plus les heures avançaient, plus on sentait que certains officiers nous manquaient. On avait perdu certains de nos meilleurs officiers et ceux qui les remplaçaient n'étaient pas aussi compétents ou plutôt, ils étaient moins expérimentés. Ce n'était pas eux qui nous avaient dispensé l'entraînement et nous pouvions nous sentir un peu éparpillés par moments. De plus, certains officiers avaient abandonné leurs gars au front.

Nous avons finalement réussi à nous emparer du village de Carpiquet et nous y sommes restés dans le but de consolider et de défendre nos positions.

Environ trois jours après le début des attaques, pendant que mes compagnons d'armes combattaient à l'aérodrome pour conquérir les hangars du nord, un certain Brisebois de la Croix-Rouge m'a demandé de prendre une jeep et d'aller chercher nos hommes hors de combat. C'était un brancardier. Il n'était pas armé, mais il n'était pas très nerveux. Il semblait toujours confiant. Sa fougue m'impressionnait. Je suis monté à bord de la jeep qui m'avait été assignée. Deux étages avaient été aménagés dans le véhicule, ce qui permettait d'y déposer un maximum de brancards. J'éprouvais beaucoup d'appréhension à l'idée de me déplacer à travers ce carnage. Le brassard de la Croix-Rouge qu'arborait mon confrère ne suffisait pas à nous garantir l'immunité contre les feux ennemis. Encore une fois, les tirs affluaient de partout à la fois, et ce, sans interruption. Il y avait de quoi s'affoler, mais, comme toujours, je pensais à la mission qui m'avait été confiée. Je conduisais sans trop savoir où j'allais, avec comme seul objectif de récupérer mes compagnons d'armes, abandonnés à leur souffrance.

Comme nous étions une cible facile, des Allemands se sont mis à tirer dans notre direction. Nous ne savions pas où était leur position. Nous avons descendu rapidement de la jeep en nous pliant le plus possible et nous nous sommes cachés derrière une maison. Seuls trois murs supportaient encore la partie du toit qui avait été épargnée par les boulets. Les Allemands ont envoyé un *burst*[17] de plusieurs minutes à travers laquelle il nous aurait été fatal de nous déplacer.

Adossés au mur et sans armes pour nous défendre, nous avons attendu quelques minutes. Je regardais un soldat canadien blessé, étendu sur le sol et criant son agonie. Ses jambes avaient été écrasées par une partie de la structure de la maison. On ne pouvait rien faire pour lui dans notre position. Ce sentiment d'impuissance, je l'avais ressenti tant de fois! Je tentais d'imaginer la souffrance qui l'assaillait, mais je n'y arrivais sûrement pas. J'étais plaqué contre le mur; une explosion aurait pu survenir et un morceau du toit aurait pu m'écraser moi aussi. J'aurais aussi bien pu être dans la situation de mon confrère étendu tout près de moi, à attendre que sa vision des feux ennemis évolue en un écran blanc apaisant. Par ses actions, cet homme avait peut-être permis à son bataillon d'avancer plus rapidement. Il avait sacrifié sa jeunesse pour aider ses compatriotes. Il aurait

_____

17. Rafale de balles.

peut-être mérité une médaille de bravoure, mais ses faits d'armes se seraient éteints avec lui sur les terres de Carpiquet. Seule la mémoire collective pouvait faire en sorte que sa loyauté soit reconnue. C'était ce que j'espérais. Ces pensées, je les aurai pour chacun des dix-huit mille cinq cents militaires mis hors de combat durant la campagne de Normandie.

La petite fille

Soudain, malgré le vacarme causé par l'artillerie, j'ai cru entendre un bruit à l'intérieur de la maison. J'ai alors collé l'oreille au mur en espérant mieux saisir les sons et ainsi me confirmer à moi-même que je n'étais pas devenu fou. J'ai eu un pincement au cœur. C'était des sanglots, apparemment d'enfant, que j'entendais. J'ai dit à Brisebois: «Ça pleure là-dedans!» Il ne m'a pas cru sur le coup; il prétendait que la guerre m'avait perturbé et que mon imagination me jouait des tours. Mais j'ai insisté pour que nous entrions et c'est ce que nous avons fait. Les Allemands avaient modéré leurs tirs et nous en avons profité. Nous avons emprunté la porte principale, qui était également demeurée debout parmi les décombres.

Effectivement, nous pouvions entendre des pleurs. Tout de suite, mon regard s'est immobilisé sur deux corps de civils gisant près d'une garde-robe. Nous n'avons pas pris la peine de vérifier s'ils respiraient encore. Selon ce que nous voyions, il n'y avait aucun doute sur leur état. Il y avait du sang partout. J'ai estimé que leur décès remontait à moins d'une journée, puisqu'aucune odeur de putréfaction ne se dégageait des cadavres. Même si ce n'était pas la première fois que je voyais des morts ensanglantés, j'avais une énorme boule dans la gorge.

Nous nous sommes dirigés vers la garde-robe à gauche de l'entrée. Nous avons réussi à en décoincer la porte et nous avons aperçu ce qui allait rester à jamais gravé dans nos mémoires.

Il y avait une petite fille assise sur le sol, le visage couvert de larmes. Elle devait avoir cinq ans tout au plus. Elle portait une robe rose pastel. Ses cheveux étaient blonds. En une fraction de seconde, la petite fille m'a sauté au cou, comme si j'étais un de ses familiers. Elle criait, elle tremblait, elle avait vraiment besoin de quelqu'un pour la sortir de cet enfer. Nous ne réussissions à comprendre que le mot *mama* qu'elle répétait sans cesse. Je me demandais depuis combien de temps elle était seule dans cette maison. Nous avons déduit que les corps devaient être ceux de ses parents. Ils n'avaient apparemment pas eu la même chance que leur fille.

Il est très difficile pour moi de décrire mon état d'esprit à ce moment précis. J'étais bouleversé. Je ne pouvais dire si j'étais triste ou en colère. Nous étions préparés mentalement aux dommages collatéraux, mais l'atteinte d'un enfant me semblait tout simplement inacceptable. Je me suis promis que je ne laisserais jamais cette petite tant que je ne serais pas certain qu'elle soit en sécurité. Je me la suis en quelque sorte appropriée, comme si elle était ma propre fille. J'étais déterminé.

J'ai ressenti dans tout le corps une forte montée d'adrénaline. J'ai donné la fillette à Brisebois pour être en mesure de démarrer le véhicule le plus rapidement possible. Nous nous sommes dirigés vers la jeep. Les tirs se faisaient maintenant plus rares et nous sommes revenus sur nos pas, en retrait du danger. La petite s'était blottie contre Brisebois et elle pleurait toujours; le bruit des armes la terrorisait et les mouvements brusques du véhicule n'aidaient en rien à l'apaiser. Nous nous sommes rendus dans le sous-sol d'une maison à moitié détruite où nous avons confié l'enfant au médecin et à l'aumônier qui s'y étaient installés. Je me rappelle tous les détails de son visage craintif lorsque nous l'avons déposée à cet endroit. Elle pleurait tellement! J'ai éprouvé de la culpabilité en songeant que je l'abandonnais. Pourtant, je savais bien que je ne pouvais faire plus et qu'elle était entre bonnes mains. C'est mon dernier souvenir d'elle. J'aurais tant aimé savoir son nom...

Les quelques jours après cet événement, je n'étais plus le même. Mes réactions étaient différentes; j'étais plus fragile, plus émotif. La colère, la tristesse, la peur, tout était amplifié. J'avais encore en tête ce qui venait de se passer. Ma concentration était ébranlée, car je ne faisais que penser à ce qui allait arriver à cette petite fille. Je croyais que son avenir sans ses parents ne pouvait qu'être un énorme obstacle à son bonheur. J'éprouvais beaucoup de compassion pour cette enfant.

J'ai tout de même poursuivi mon travail à bord de la jeep à la recherche de frères d'armes blessés, en espérant en rescaper plusieurs avec mon compagnon, le brancardier Brisebois. Nous avions parcouru une certaine distance dans Carpiquet quand nous avons décidé de mettre pied à terre afin d'aller vérifier dans les décombres des maisons. Nous avons vu plusieurs morts, des gens qui avaient été tués par des Allemands à coups de baïonnette, entre autres. J'ai vu des atrocités qui auraient pu me rendre complètement fou. Ce n'était pas seulement des balles perdues qui avaient frappé. Des femmes avaient été atteintes d'une tout autre façon. Leur corps avait été souillé. C'était horrible.

Il y avait également plusieurs blessés, que nous avons réussi à évacuer lorsque le Régiment restait immobile, c'est-à-dire en position défensive. La plupart du temps, nous n'avions que trois blessés à la fois dans le véhicule. Nous en déposions deux sur l'étage du haut et un sur celui du bas. Nous les amenions aux médecins derrière les bataillons. Nous avons fait plusieurs allers et retours en quelques heures, pendant que nos troupes essayaient de consolider leur position et d'atteindre les hangars convoités. Il arrivait souvent que des soldats viennent nous prêter main-forte. Nous en avions réellement besoin, car l'enfer de Carpiquet avait fait beaucoup de victimes.

Un soir, alors que nous nous affairions encore à fouiller les décombres d'une maison, un événement malheureux nous a fait prendre conscience que le danger était partout, même là où on s'y attendait le moins. Un confrère s'est avancé dans une pièce voisine et s'est dirigé vers une table sur laquelle était déposée une magnifique plume fontaine que je pouvais voir d'où j'étais. Il n'était pas question pour lui de la laisser là. Il a voulu s'en emparer comme nous l'aurions probablement fait si nous l'avions aperçue les premiers. Au moment où j'allais lui crier à la blague que j'étais jaloux de sa trouvaille, une explosion soudaine nous a vivement fait sursauter. Ce fut la panique dans la maison. Lorsqu'il avait soulevé la plume, un dispositif s'était déclenché, lui arrachant la main du coup. Ses genoux ont flanché; il s'est effondré sur le sol en criant sa douleur et en regardant avec frayeur les dommages que l'explosion avait causés à sa main. Je me suis empressé de m'agenouiller à ses côtés pour le calmer. Heureusement, Brisebois était présent et il n'a pas tardé à lui porter secours en freinant l'hémorragie. Ayant entendu la détonation, un autre brancardier est entré dans la maison et est venu aider Brisebois. Ma présence étant devenue inutile, je me suis levé et j'ai quitté les lieux, le cœur dans la gorge, encore sous le choc de cette déflagration inattendue.

Après cet incident, il va de soi que je suis devenu extrêmement vigilant devant tout ce qui m'entourait. On ne nous avait pas vraiment informés de ces dispositifs pièges, que nous appelions *booby trap*, mais nous avons appris assez rapidement. Des armes du même genre laissées par les Allemands ont été retrouvées à plusieurs endroits par la suite. Rien ne devait être laissé au hasard. Nous devions être constamment sur nos gardes.

Il n'était pas rare de voir des camions allemands, apparemment en bon état, traîner sur les routes. Avant de les utiliser, nous devions nous assurer qu'ils étaient en état de fonctionner et, surtout, qu'ils n'étaient pas piégés. À l'aide de camions de service, que l'on appelait garages, ainsi que de longs câbles, nous réussissions à démarrer à distance les véhicules que nous soupçonnions. Parfois, rien ne se passait; d'autres fois, les camions virevoltaient dans les airs sous la force d'une explosion. Chaque bouteille, chaque fruit, chaque objet, chaque véhicule que nous apercevions devait d'emblée être considéré comme un piège. Il ne fallait rien sous-estimer; c'est là un comportement que la guerre nous a appris à développer.

Occasionnellement, nous devions composer avec l'hystérie qui saisissait certains de nos soldats au cours de la bataille. Ils souffraient d'un traumatisme que l'on appelait au front le *shell-shock*, c'est-à-dire le choc des obus. Il s'agissait d'une réaction très sévère à l'exposition prolongée du corps aux bombardements. On nous en avait parlé pendant l'entraînement, mais en voir la manifestation était vraiment bouleversant. Contrairement à ce qu'on pouvait en penser durant la Première Guerre mondiale, il ne fallait pas prendre ces cas à la légère. Le choc des obus pouvait causer des dommages psychologiques irréversibles. Les symptômes étaient vraiment très différents d'une personne à l'autre. Certains devenaient terriblement forts. À Carpiquet même, j'ai dû maîtriser un de ceux-là avec l'aide de trois autres hommes. Il était extrêmement agité, son discours était incohérent et il se demandait pourquoi il portait l'habit militaire. Il avait complètement disjoncté. Chacun de nous tenait un de ses membres et nous cherchions à l'immobiliser, afin de lui injecter de la morphine pour le calmer. Il avait alors décidé de fermer les deux bras, faisant se rencontrer durement les deux personnes qui les lui tenaient. Habituellement, le brancardier qui leur administrait la morphine devait les évacuer au plus vite, puisque, la plupart du temps, ces hommes devenaient nuisibles.

Non seulement ils n'étaient plus fonctionnels, ils perturbaient les manœuvres. Souvent, après une période de repos, ils revenaient à eux-mêmes un tant soit peu.

Le Régiment avait presque atteint ses objectifs. Toutefois, même si Carpiquet était notre bête noire du moment, Caen était toujours la ville à conquérir, autant pour les Alliés que pour les Forces de l'Axe. Les efforts fournis des deux côtés étaient toujours orientés dans ce but. Sachant cela, les Allemands ont voulu augmenter leur résistance en formant un énorme convoi de véhicules de combat. Ils entendaient conserver leur position en mettant à contribution les panzers établis à Caen depuis le début de la campagne de Normandie. Une riposte ferme était indispensable.

Le 7 juillet, pendant que nous combattions toujours pour prendre les hangars de l'aérodrome de Carpiquet, près de quatre cent cinquante bombardiers alliés ont lâché deux mille cinq cents tonnes de bombes en moins d'une heure sur Caen afin de détruire l'énorme convoi ennemi. À la suite de cet assaut, le flanc gauche de Caen a été libéré. Une cérémonie sans trop de flafla a eu lieu. Cependant, cette attaque aérienne n'a pas suffi à faire fuir l'occupant allemand et à consolider nos positions de façon définitive. Les Allemands étaient très nombreux et ils s'étaient retranchés sur le flanc droit de Caen. Les dommages causés aux habitations ne faisaient que faire obstacle à notre armée de terre et renforçaient ainsi les défenses de l'ennemi; lorsque nous pénétrerons dans Caen, les rues seront presque infranchissables.

Finalement, c'est le 9 juillet, après cinq jours d'enfer sur la route de Carpiquet–Caen, que le Régiment a réussi à prendre tout le territoire qui était dans sa mire. Pendant encore deux ou trois jours, nous sommes venus en aide aux régiments qui n'avaient pas atteint leurs cibles. Nous y avons malheureusement essuyé des pertes supplémentaires.

Troupes canadiennes devant un bunker allemand
à l'aéroport de Carpiquet, le 12 juillet 1944
Source : Photos Normandie

La bataille de Carpiquet fit, entre le 4 et 12 juillet, cinquante-trois morts et cent vingt-trois blessés au sein du Régiment de la Chaudière. Nous étions fatigués et nos estomacs criaient famine, malgré l'ingestion ici et là de morceaux de chocolat. Nous étions censés recevoir toutes les calories nécessaires pour quarante-huit heures dans un seul morceau, mais l'énergie que nous dépensions dans ce laps de temps n'était pas compensée suffisamment. Nous éprouvions des carences. Je commençais à ressentir sérieusement les effets de cette malnutrition et à avoir des malaises digestifs. Je ne voyais pas le moment où nous allions nous reposer. C'était loin d'être terminé. Nous devions regrouper nos troupes dans le but de finaliser la prise du flanc droit de Caen.

À la suite de la bataille de Carpiquet, le Régiment de la Chaudière a davantage fait parler de lui. Peu de temps avant la fin de ces hostilités, on nous a raconté que certains prisonniers allemands avaient prétendu que nous avions une armure, comme les chevaliers du Moyen Âge, et que nous étions ainsi protégés des petites munitions. C'était tout de même flatteur. Quand les officiers allemands nous voyaient dans leurs lignes, ils savaient qu'ils n'auraient pas la vie facile. Ils nous distinguaient par la pièce de tissu rouge cousue sur les deux manches de notre habit; cela signifiait que nous étions canadiens.

Bataille de Caen
À la mi-juillet, même si nous étions encore ébranlés par les combats de l'aérodrome de Carpiquet, nous avons mis le maximum d'énergie sur la reconquête de Caen afin de la libérer entièrement des Forces de l'Axe. Il nous fallait à tout prix ralentir l'ennemi dans sa démarche pour nous renverser afin de nous réorganiser et de préparer un nouveau bombardement de Caen par la *Royal Air Force*. C'était maintenant à nous de pousser notre avance, malgré les décombres causés par les combats précédents.

Les Allemands, quant à eux, déployaient l'énergie du désespoir. Ils ne pouvaient se permettre de perdre ce qu'il leur restait du territoire de Caen et de ses alentours.

Nous avons poursuivi l'ennemi pendant des heures; les combats m'ont semblé interminables. C'est d'ailleurs là que, pour une rare fois au front, j'ai quitté mon véhicule pour m'emparer d'une mitrailleuse. À pied aux côtés de mes frères d'armes, j'ai tiré vers la position allemande sans trop savoir si ce que je faisais était efficace. J'aimais peut-être mieux ne pas le savoir. En fait, je n'avais certainement pas la rage de détruire des vies humaines. Même si les soldats allemands étaient mes ennemis et qu'ils m'avaient fait subir les pires épreuves de ma vie jusque-là, j'étais capable de comprendre qu'ils voulaient la même chose que moi, gagner cette guerre. Nous faisions donc ce que nous avions à faire, et donner la mort en faisait partie.

C'est au cours de ces affrontements que l'officier Bourassa, un supérieur qui venait tout juste de m'assigner des tâches en transport, a été mis hors de combat. Nous étions alors arrêtés, mais toujours sur nos gardes, et nous discutions des plans des lieux. Lorsque j'ai repris la route quelques minutes plus tard, il m'a fortement interpellé. J'étais rendu à environ quinze mètres de lui lorsque je me suis arrêté pour savoir ce qu'il voulait. Au même moment, j'ai entendu le sifflement d'un obus. Une bombe a explosé tout près de Bourassa, le blessant gravement. Il a été transporté d'urgence aux installations médicales pour y être soigné et il n'est jamais revenu sur le champ de bataille. J'ai su plus tard qu'il s'en était heureusement sorti. Je repense encore à ce fait aujourd'hui; cela ne faisait pas trente secondes que j'avais quitté ma place à ses côtés lorsque le projectile est passé. La destinée... Combien de choses comme celle-là me sont arrivées au front!

Pendant que le Régiment de la Chaudière s'affairait à libérer les villages aux portes de Caen, deux mille bombardiers sont venus attaquer ce qui restait de la capitale normande. C'était le 18 juillet. J'ai senti le sol vibrer sous mes pieds, car nous n'étions pas très loin. Les Allemands ont été lourdement secoués et ceux qui ont survécu n'ont eu d'autre choix que de retraiter. Quelques civils étaient encore présents sur les lieux, mais nous ne devions pas nous en occuper. Beaucoup d'entre eux avaient refusé de quitter leur demeure encore une fois. Ils se cachaient où ils pouvaient, dans leur maison ou dans les granges. Pourtant, avant les bombardements, les Alliés avaient largué des tracts avertissant les civils qu'il y aurait des attaques aériennes. Mais ces tracts n'avaient pas réussi à convaincre certains civils de fuir leur demeure et plus de deux mille d'entre eux ont trouvé la mort au cours de l'été 1944. De plus, plusieurs n'avaient pas réussi à quitter les cibles des bombardements et avaient été gravement blessés.

Nous entendrons plus tard les échos d'opinions très controversées voulant que Caen ait été détruite de façon maladroite et non productive. Cependant, au front, lorsque le ciel semble vouloir nous tomber sur la tête et qu'on ne sait plus où se mettre pour éviter les tirs, nous apprécions réellement toute l'aide qu'il est possible d'obtenir pour essouffler l'ennemi. Il est vrai par contre que Caen ne ressemblait qu'à un tas de pierres après le passage des nombreux bombardiers. Il me semblait que seules les cheminées et la cathédrale faisaient encore partie du paysage. Les morts se comptaient par dizaines. Nous pouvions saisir l'incompréhension et la frustration de la population devant une attaque aussi destructrice.

Les trois quarts de la ville avaient été détruits, ce qui ne facilitait en rien nos déplacements. Les bulldozers canadiens ont été nécessaires pour dégager la voie aux militaires et aux civils. Finalement, c'est le 19 juillet, plus d'un mois après le jour J, que la prise de Caen a été réellement concrétisée. Le parcours avait été très ardu.

Nos premiers jours de repos

Ce n'est qu'au début du mois d'août, après cinquante-cinq jours de combat que nous avons enfin eu droit à du repos dans la ville de Basly. Nous avions peine à y croire. C'était presque inespéré. Nous avons dû repasser par les ruines de Caen pour nous diriger vers les camions qui allaient nous amener dans la ville. Les centaines de cratères creusés par les bombardements démontraient toute l'ampleur des dommages. Nous avons passé à côté du convoi formé d'une centaine de véhicules allemands qui s'étaient mis en route pour nous attaquer, mais qui avaient été neutralisés. On pouvait apercevoir les carcasses des redoutables panzers. Tout était détruit. Des animaux morts et des cadavres humains recouvraient le sol. C'était des images très difficiles à voir. Pour une fois en près de deux mois, nous n'avions plus à craindre d'être la cible des tirs ennemis. Nous avions l'esprit tranquille et nous étions soulagés de ne voir que des Alliés autour de nous. La lourdeur qui nous pesait sans cesse sur les épaules et qui nous empêchait de respirer aisément venait de nous libérer partiellement. La cigarette était plus que délicieuse.

Ruines de la place St-Pierre, Caen, 1944
Source : normandie1944.over-blog.com

J'ai ressenti soudain une énorme fatigue. Après tout ce temps sous le feu de l'ennemi, l'adrénaline à son maximum, mon corps et ma tête n'en pouvaient plus. Fernand Hains, ma captivité, la petite fille, Bourassa... mon esprit avait mal; j'étais à fleur de peau. Je ne pensais qu'à prendre une douche enfin et à me reposer pour reprendre des forces. Près de deux mois s'étaient écoulés sans que nous puissions avoir une bonne nuit de sommeil, sans nous laver, nous déchausser ou même enlever un seul morceau de vêtement. Nos mains étaient restées blanches en raison du port de nos gants, mais notre visage était noir. La poussière et la boue s'y étant imprégnées, nous pouvions à peine sourire. Notre peau semblait vouloir craqueler. Ce masque recouvrait notre barbe et nous nous étions habitués au goût de la saleté dans notre bouche. Un peu de confort allait être réellement apprécié.

On nous a fait enlever nos bottes près d'un ruisseau où se trouvaient les douches portatives. Les officiers les ont identifiées et emportées pour que nous puissions les récupérer plus tard, dûment nettoyées et réparées s'il y avait lieu. Dans l'armée, la qualité et le confort des chaussures sont priorisés. On nous chausse de bottes qui nous vont bien pour éviter les blessures. Le reste est moins important. On peut nous donner une chemise de taille 18, même si nous portons habituellement du 15, par exemple.

Sous les douches, nous pouvions entendre des soupirs de contentement, de bien-être et presque de jouissance de certains des gars. L'eau brunâtre qui coulait à mes pieds se mélangeait dans le ruisseau à celle de mes comparses. Nous étions vraiment heureux d'enfin nous débarrasser de toute la saleté qui nous couvrait le corps et qui nous démangeait depuis des semaines. J'aurais pu rester là des heures si j'avais pu, mais on nous a vite ramenés à l'ordre en nous disant de quitter pour aller nous disperser dans les champs et nous reposer. Plusieurs trouvaient un endroit pour écrire à leur famille et pleurer en silence. Moi, ma seule préoccupation était de dormir. J'avais espoir de trouver le sommeil pour quitter le moment présent, pour abandonner les pensées qui m'habitaient, ne fût-ce qu'un court instant. Avec un autre soldat également dans le transport, je me suis arrêté entre deux bottes de grains et j'y ai dormi plusieurs heures. J'étais épuisé et je méritais ce répit, comme tous les autres.

Durant ces quelques jours de repos, nous avons eu droit à des distractions organisées par les officiers. Nous sommes également retournés sur les lieux du débarquement. J'ai eu un pincement au cœur en revoyant la plage, l'endroit où cet enfer avait commencé. Le destin m'avait permis de m'en sortir jusqu'alors et je ne pouvais que remercier la vie de m'avoir épargné. Fernand Hains lui, n'avait pas eu la chance de se rendre très loin dans la grande Normandie et j'ai eu une pensée pour lui. Je suis allé me recueillir près de la croix de bois qui lui était destinée et qui avait été érigée dans un cimetière temporaire, près de celles de tous nos frères d'armes tombés au combat. Pour une rare fois au front, j'ai prié Dieu pour que la paix se manifeste le plus tôt possible, mais je sous-estimais la volonté des deux parties d'éviter la capitulation.

Chapitre 9

UNE ROUTE SANS FIN

PRISE DE FALAISE

Nous avons repris le combat après plus d'une semaine de repos. Cette fois, nous devions participer à la prise de Falaise, l'opération qui devait conclure la campagne de Normandie. Cet assaut pour tenter de briser le front allemand se déroulerait en deux phases : l'opération *Totalize*, du 7 au 10 août, et l'opération *Tractable*, du 14 au 16 août.

Mon moral était à son plus haut. J'étais tout de même reposé, les derniers objectifs avaient été atteints et nous étions en bonne position pour vaincre l'ennemi. Il va sans dire que, secrètement, nous cultivions tous une lueur d'espoir, celle que la guerre allait prendre fin d'un jour à l'autre.

La prise de Falaise se révélait toute une stratégie pour les Alliés. Tout comme l'Armée canadienne, les armées britannique et américaine parcouraient le front, tentant eux aussi de délimiter la poche de Falaise. En effet, nous devions, chacun de notre côté, resserrer l'étau autour de l'armée allemande en formant une sorte d'U ou de pince qui pourrait se refermer derrière par la suite. C'était pour cette raison qu'on appelait le secteur la poche de Falaise. Le rôle du Régiment de la Chaudière serait surtout défensif, une fois la position consolidée. La tâche était énorme. Grâce à des informations de sources secrètes, nous savions que l'ennemi était essoufflé, que son ravitaillement se faisait plus rare et que ses moyens de communication s'étaient effrités.

À partir de ce moment, j'ai troqué mon char *Bren Carrier* pour une motocyclette. Un commandant est venu m'annoncer qu'il avait besoin de deux estafettes, communément appelées *dispatch rider*, et que j'étais l'un des élus. J'étais heureux de pouvoir enfin grimper à nouveau sur une moto, une *Norton 16H* qu'on surnommait la *Snortin' Norton*, la ronfleuse. Cependant, le travail que j'aurais à effectuer serait périlleux. Je n'aurais plus mon véhicule lourd pour me protéger et j'allais devenir une cible facile pour l'ennemi. Je gardais cette pensée en tête. Personne ne me couvrirait.

Je faisais toujours partie de la compagnie de support, mais je n'étais plus seulement attaché à la compagnie A. Les compagnies A, B, C et D pouvaient solliciter mes services. J'obéissais aux ordres. Je croisais Lacroix à l'occasion sur les terrains, mais c'est à partir de ce moment que nos contacts ont considérablement diminué. Je me déplaçais constamment pour livrer des messages, de jour comme de nuit, sur la ligne de feu, principalement lorsque le Régiment prenait des positions défensives. Avec l'aide des autres estafettes, souvent les deux mêmes, j'escortais également les convois lors des déplacements. Dans ces cas-là, je devais me promener de la tête à la queue du convoi, et m'assurer que tout était exécuté sans anicroche. Un déplacement de cent soixante kilomètres pouvait nécessiter environ huit heures. Une bonne organisation et une bonne gestion étaient essentielles. Ces déplacements seraient très fréquents durant les mois suivants.

Je pouvais aussi accomplir des tâches de reconnaissance dans le but d'informer les chauffeurs et les commandants des positions ennemies afin que nous nous préparions à une attaque ou à une contre-attaque. Par exemple, lorsqu'un peloton était coincé dans une partie de la ville et bombardé de tous côtés, je pouvais informer son commandant qu'une autre compagnie allait pénétrer la ville par tel angle pour attirer l'attention des

Allemands. Je parcourais également les routes et les champs pour trouver des endroits sécuritaires où installer les véhicules, afin que les hommes aient des munitions à divers endroits.

Bien des soldats croyaient que le travail d'estafette était une mince affaire. Ils nous disaient souvent : « Vous autres, vous êtes chanceux, vous n'êtes pas obligés de marcher, vous n'avez pas mal aux pieds comme nous. » Je n'ai jamais tenu compte de ces opinions. Au front, chacun avait son rôle et je crois que nous étions aussi importants les uns que les autres. Après dix-huit heures passées sur la moto, nous aussi pouvions ressentir des malaises. Le dos et les fesses n'étaient pas épargnés. Il nous arrivait de récupérer les coussins des sièges de camions hors d'usage pour les installer sur nos motos afin d'être plus confortables. Nous nous arrangions comme nous pouvions.

Moto Norton 16 H
Source : Collection Germain Nault

Pendant près de deux semaines, nous avons poursuivi l'ennemi sans bien sûr arriver à éviter la perte de dizaines de nos hommes. En ce mois d'août, nous avions comme objectif de nettoyer la vallée de La Laison en direction de Falaise. Notre progression était en butte à des embûches de toutes sortes. Des affrontements çà et là ont eu lieu, entre autres avec la redoutable 12e division Panzer SS, mais l'aviation, tout comme les véhicules de transport de troupes blindées *Kangaroos,* nous ont été d'une très grande aide dans l'atteinte de nos cibles. Au cours de ces combats, nous avons pu constater une fois de plus la détermination, la ferveur et l'acharnement des Allemands. Ils ont su résister aux assauts répétés, malgré l'épuisement de leurs renforts. Comme à leur habitude, ils avaient imaginé et mis en place de nombreux obstacles, ralentissant ainsi notre progression dans la fermeture de la poche de Falaise. Je l'ai toujours pensé, c'était de véritables guerriers, de très bons militaires, et très bien dirigés.

Les premières nuits suivant notre retour sur la ligne de feu pour libérer Falaise, je me souviens de m'être arrêté près des ruines d'un château. Il faisait froid et il pleuvait abondamment. J'ai laissé ma moto à l'entrée et j'ai décidé d'y pénétrer. C'était le château de la Guérinière, à Cormelles, situé à environ un kilomètre au sud de Caen, peu avant Falaise. Il avait été détruit par nos propres avions un ou deux jours plus tôt. Quelques hommes du Régiment avaient d'ailleurs perdu la vie dans les bombardements, mais le *North Shore* du Nouveau-Brunswick avait subi des pertes beaucoup plus importantes.

Je me suis donc rendu au sous-sol. J'étais seul et j'en avais besoin. J'en ai profité pour faire ma toilette. Dans un trou d'eau, je me suis rasé, me suis lavé un peu le visage et ai nettoyé ma prothèse dentaire. C'est à cet endroit que j'ai découvert une poche de pièces de monnaie de tous les pays du monde, ainsi qu'une énorme collection de timbres. Sans doute cette trouvaille valait-elle des milliers de dollars, mais je ne pouvais malheureusement pas emporter cette poche sur ma moto.

En me promenant dans le sous-sol du château, j'ai également découvert une bouteille de Bénédictine, une liqueur alcoo-lisée digestive fabriquée en Normandie même. Elle ne semblait pas avoir été ouverte. J'ai hésité avant de la prendre dans mes mains, sachant qu'elle pouvait tout aussi bien être un *booby trap*. Je me sentais aussi comme un voleur de m'en emparer, mais je me disais que, si ce n'était pas moi qui la prenais, ce serait quelqu'un d'autre. Dans certaines villes, on trouvait des barils de cognac et les soldats tiraient des coups de carabine dedans pour remplir leur gourde d'eau. Je comprenais bien qu'au front, l'alcool devenait un moyen pour le soldat découragé et épuisé de traverser ce temps de guerre et de surmonter une réalité pénible.

J'ai cessé de me culpabiliser et ai bu au goulot, moi qui n'avais pas pris une goutte d'alcool depuis bien longtemps. C'était vraiment bon. J'ai vite été dans un état d'indifférence par rap-port au moment présent. J'étais dans la disposition de lâcher prise. Je me suis assis par terre sur une pierre et j'ai bu. Vu mes années d'abstinence, ma limite a été vite atteinte. Je me suis retrouvé étourdi. J'avais le sourire facile. La réalité de la guerre s'est faite moins pesante. Je parlais à voix haute à ma mère, à Fernand Hains, à mes frères… Je pensais même à Saint-Hilaire que j'avais perdu de vue en Angleterre, en espérant que les feux de l'ennemi l'aient ignoré. Après plusieurs minutes, j'ai mis ce qui restait d'alcool dans mon sac et j'ai quitté le château. J'ai poursuivi mon moment d'évasion sur ma moto. J'en ai même perdu des bouts.

Mon rôle en tant que *dispatch rider* ne faisait que s'alourdir de jour en jour. Au contraire des fantassins, il m'était presque impossible de m'arrêter pour discuter avec les civils lorsque nous libérions des villes. En fait, c'était les moments privilégiés pour faire mon travail. Je m'arrêtais rarement. J'avais avec moi les cartes des lieux et des positions alliées et ennemies pour me guider. J'essayais de mémoriser mes parcours pour éviter de perdre du temps à lire la carte. Je dessinais le trajet dans ma tête et je me préparais des plans de remplacement au cas où le chemin serait obstrué. Les ponts en particulier pouvaient être détruits au moment de mon passage. Ces plans B m'ont servi à quelques reprises. Je n'avais pas à m'attarder aux noms des villes ou des rues; nous fonctionnions avec des codes numériques et les points cardinaux. Il n'était pas rare de me voir lever les yeux au ciel pour me diriger dans la nuit grâce aux étoiles. Les soldats dans les tourelles des tanks m'aidaient aussi à m'orienter.

La plupart du temps, j'allais livrer des messages. Ceux-ci étaient souvent oraux, mais, lorsqu'ils étaient d'une haute importance, on les inscrivait sur du papier de soie que je devais mettre dans ma bouche durant mes déplacements. Je n'étais pas mis au courant de ce qu'ils contenaient. Si je devais être fait prisonnier, je devais avaler le message.

L'adrénaline était au maximum à chacun de mes déplacements. Il était primordial que je me rende à bon port sans délai, car les informations devaient être transmises le plus rapidement possible. Je me sentais très utile, même indispensable. Je devais faire transiter des informations extrêmement importantes entre le commandant de notre régiment et d'autres officiers. Je me répétais souvent que mon rôle était vital et que j'avais la vie de plusieurs personnes entre les mains. Cette pensée me motivait grandement et j'essayais d'ignorer les affres de la guerre. En effet, si la peur parvenait à me figer et à m'empêcher de remplir une mission, le Régiment au complet pouvait en subir les conséquences. Après un échec dû à un moment de faiblesse même compréhensible, il devait être assez difficile de se déculpabiliser et de libérer sa conscience. Les officiers me disaient souvent avant de m'envoyer sur la ligne de feu: «C'est même pas humain de faire ça, mais je suis obligé de t'y contraindre.» Ils sympathisaient avec les estafettes. Cependant, dans mon rôle de messager, j'étais entêté et je m'ordonnais de me défaire de la peur. Je ne voulais pas manquer à ma tâche et je voulais éviter ce qui aurait pu me faire éprouver de la honte le restant de ma vie si je réussissais à me sortir de cette guerre. C'était ainsi que je pensais.

Au cours des manœuvres orientées vers la chute de Falaise, les deux soldats avec qui j'étais pour exécuter mon travail n'ont pas eu la même chance que moi. Ils ont été mis hors de combat durant les premières semaines. Le premier est mort à mes côtés. Ce jour-là, nous étions environ six ou sept estafettes à nous occuper d'un énorme convoi d'artillerie. Pendant que nous l'attendions pour le réorienter, l'autre chauffeur et moi avons décidé de faire une pause pour converser. Parfois, c'était bien d'alléger l'ambiance par des confidences plus personnelles et hors contexte. Ainsi, nous échangions sur ce que nos familles nous écrivaient et nous parlions de nos missions de la veille ainsi que de nos prouesses de motards durant la nuit.

Nous étions face à face, assis sur nos motos, à environ trois mètres de distance. Les échos des crépitements des mitrailleuses avaient commencé à se faire entendre, mais nous en faisions abstraction; nous étions habitués à les ignorer lorsque les tirs ne nous étaient pas destinés. Pendant que nous discutions, j'ai entendu un énorme bruit sourd à ma droite. J'ai eu le réflexe de me coucher sur ma moto et de me protéger les oreilles avec mes deux mains pour étouffer la douleur causée à mes tympans. Il m'a fallu quelques secondes pour revenir à moi. Lorsque je me suis retourné vers mon compagnon, il n'était plus debout devant moi, mais étendu sur le sol. Je suis descendu de ma moto et je me suis approché de lui. Chaque pas me confirmait davantage qu'il n'y avait rien de bon à présager. Le sang s'étendait à une vitesse fulgurante autour du corps de mon confrère. C'était horrible. Je voyais l'asphalte à travers lui. Un obus lui avait transpercé la poitrine juste à mes côtés. Il m'aurait suffi d'être à un mètre à peine plus à droite pour que le projectile m'atteigne aussi. Quelques minutes m'ont été nécessaires pour me remettre du choc et des dégâts qu'avait provoqués cet obus. Quelques-uns des chauffeurs de camion se sont empressés de venir à la rescousse de mon ami, mais il n'y avait rien à faire, bien entendu.

Pour ce qui est de mon autre confrère, je n'ai jamais su ce qui s'était passé exactement. On m'a seulement informé qu'il avait été gravement blessé et qu'on l'avait rapatrié en Angleterre.

Mon histoire avec ces deux compagnons s'est donc terminée abruptement. Je les avais côtoyés pendant plusieurs semaines et j'avais découvert en eux des personnalités très fortes. Même si nous n'avions pas développé de véritables liens d'amitié, notre travail commun nous amenait à nous sentir plus près. Nous vivions les mêmes angoisses sur le champ de bataille, à chevaucher notre moto. Je compatissais avec ces deux hommes et leur famille.

Mais une bonne nouvelle a suivi. C'est à partir de ce moment que j'ai retrouvé mes bons amis Castilloux et Raymond. Les trois mousquetaires étaient de retour, mais cette fois dans la vraie guerre. J'étais heureux de pouvoir compter sur eux, mais surtout de pouvoir enfin faire confiance à une autre personne qu'à moi-même. Bizarrement, à partir de ce moment, même lors de mes trajets en solitaire, je ne me sentais plus aussi seul. Sans vouloir me consoler avec le malheur des autres, je savais que mes amis vivaient le même cauchemar que moi et qu'ils me comprenaient. On se soutenait mutuellement; c'était suffisant pour maintenir mon moral.

Notre régiment continuait d'avancer; nos positions étaient excellentes, mais nous savions que la résistance allemande allait devenir de plus en plus importante au fur et à mesure qu'on s'approcherait de Falaise. Nous étions confiants, mais prudents.

Assis sur sa moto, Philippe Castilloux reçoit
des ordres du sergent T. S. Giles
Source : www.stolly.org.uk

Le 14 août, nous étions postés à Saint-Aignan-de-Cromesnil. La compagnie de support s'y trouvait avec une grande majorité de nos véhicules. Ce jour-là, je reprenais pour un bref moment le volant d'une chenillette avec laquelle je devais assurer le ravitaillement. J'étais assis dans mon char avec le soldat Briand et nous attendions les ordres.

Nous nous étions rencontrés en Angleterre. Nous avions beaucoup d'affinités et j'avais beaucoup de respect pour lui. Je l'écoutais me parler de son patelin, tout en observant le convoi éparpillé un peu partout autour de nous. Soudain, le bruit infernal de l'aviation a retenti. Nous ne savions pas trop ce qui se passait, mais nous avons bientôt compris que les avions allaient attaquer et que nous étions visés. Les bombardements se sont mis à s'abattre sur nos positions. Il fallait fuir. Nous étions bousculés, mais surtout consternés : c'était nos propres avions, nos frères d'armes qui avaient lancé l'assaut. Nous étions devenus les victimes d'une erreur d'objectif de la *Royal Air Force*. Le ciel s'était assombri et la fumée épaisse nous empêchait de nous orienter. Les obus tombaient partout, c'était le chaos total. J'avais bien en tête qu'il fallait évacuer le *Bren Carrier* au plus vite. Nous étions devenus une cible extrêmement vulnérable avec toutes ces munitions sous nos fesses.

J'ai aperçu deux de nos gars qui quittaient leur jeep et qui fuyaient en courant. Je n'ai d'ailleurs jamais compris pourquoi ils avaient choisi l'option de courir au lieu de fuir avec leur véhicule. C'est là qu'on se rend compte que la panique peut nous faire prendre les mauvaises décisions. J'ai dit à Briand de monter dans la jeep laissée par les deux soldats et nous nous sommes élancés dans la direction contraire de celle des avions. Nous voyions les explosions tout autour de nous, les militaires qui tombaient et les véhicules qui prenaient feu. Nous nous demandions quand notre tour viendrait. La RAF a bombardé notre position pendant plusieurs minutes qui m'ont paru des heures.

Une image me revient où je vois des soldats sortir des tanks en feu, les bras dans les airs; je pouvais voir le jour à travers leur corps mutilé. D'autres soldats, en larmes, restaient immobiles et criaient leur colère, leur incompréhension et leur désespoir vers le ciel. Nous avions tout fait pour rester en vie durant tant de longues journées sur le champ de bataille, nous n'avions pas besoin d'une erreur de commandement pour venir miner notre confiance. C'était totalement démoralisant. Comment pouvait-on annoncer à une mère que son fils avait été tué au front par ses propres alliés? En tant qu'humain, il était difficile de ne pas s'emporter contre le commandement supérieur.

Quand nous sommes revenus sur les lieux de l'assaut, j'ai vu ma chenillette à l'endroit où je l'avais laissée, mais elle avait été détruite. Elle s'était enfoncée dans la terre et elle ne formait plus qu'un amas de tôles disloquées. Le destin avait travaillé pour moi une fois de plus. Il fallait maintenant soigner les blessés, rapatrier notre matériel et nous déplacer pour nous éloigner de ce terrain parsemé de cratères, de carcasses et de cadavres.

C'est à ce moment que j'ai découvert une scène qui allait me faire baisser les yeux. Mon ami Ti-Pat Neault gisait dans un véhicule, le corps fumant. Il avait été tellement brûlé, tellement calciné qu'il ne devait pas mesurer plus d'un mètre, à présent. Je ne pouvais l'identifier, mais j'avais remarqué le véhicule dans lequel il se trouvait lorsque, deux heures plus tôt, nous nous étions croisés. Je n'aurais jamais cru que c'était la dernière fois que je le voyais vivant. Avait-il brûlé vif? Avait-il souffert le martyre? Nous pensions être en terrain sûr... J'étais éploré, accablé, dévasté, enragé. La guerre m'avait pris un autre ami et, cette fois, notre propre camp en était responsable. Je devais me ressaisir. On avait encore besoin de moi.

Cette bévue fut toutefois un incident totalement regrettable qui nous a fait perdre plusieurs de nos hommes et beaucoup de matériel. On nous l'avait dit: un soldat doit s'attendre à tout, au front. Des erreurs comme celle-là, on voulait à tout prix les éviter, mais il pouvait y avoir des failles. L'organisation devait être très serrée, mais elle n'était pas toujours parfaite. Encore une fois, c'était la guerre. Il y avait certainement eu une lacune dans la transmission des informations pour que cette opération destructrice ait lieu. Mais, au front, tout était planifié dans l'incertitude. C'était ce qu'on appelait le *fog of war*, le brouillard de la guerre.

Chaque jour, les tentatives de Hitler pour gagner le territoire étaient déjouées. L'ennemi était en déroute et la ligne de front alliée se refermait de plus en plus sur lui.

Ce n'est que le 17 août que nous avons réussi à gagner Falaise. La bataille n'était cependant pas terminée. Nous devions poursuivre et faire front avec les Polonais, intégrés avec nous dans la 1ʳᵉ armée canadienne, pour fermer la poche en jonction avec les Britanniques et les Américains. Le terrain que nous avions gagné en quelques jours était énorme. Cependant, les Américains qui devaient arriver du sud pour resserrer l'étau tardaient. Une mésentente probable entre Alliés avait sans doute causé ce délai. En effet, nous saurons plus tard que le haut commandement craignait pour les *friendly fire*, c'est-à-dire des attaques accidentelles entre deux parties d'un même camp, si les Américains poursuivaient leur progression. À la guerre comme dans la vie, on établit des plans qui ne fonctionnent pas toujours comme prévu. «Le plan survit rarement à la ligne de départ», comme on disait dans l'armée; c'était là une notion bien réelle au front. Même si tout était pensé à l'avance et que le commandant avait tous les renseignements nécessaires, l'assaut pouvait être un échec total si les informations ne se rendaient pas à temps ou correctement jusqu'au simple soldat. Chacun devait être à sa place au bon moment afin d'éviter que des hommes paient pour des erreurs de communication.

Nous devions donc tenir plus longtemps, ce qui ne fut pas une tâche facile. L'ennemi, très combatif, avait des effectifs plus nombreux que prévu et le fait que nous bataillions dans des champs ouverts ne permettait pas la mise sur pied de stratagèmes défensifs efficaces. Ce n'était pas de tout repos pour une estafette comme moi de faire son travail. Malheureusement pour les Alliés, une grande partie des Allemands ont réussi à passer par une brèche ouverte vers la Seine. Dans les jours qui ont suivi, notre aviation a travaillé fort pour ralentir ces fuyards en tentant de détruire le couloir de retraite allemande.

Une nuit, quelques jours après la prise de Falaise, il m'a fallu quitter ma moto pour revenir à pied dans mes rangs, seul dans la noirceur. Je revenais tout juste d'aller livrer un message lorsque ma moto est restée coincée dans un cratère de bombe. J'ai été catapulté à quelques mètres dans les airs pour atterrir assez durement sur le sol. Une culbute mémorable! J'étais plutôt ébranlé. Je me suis relevé et j'ai rejoint ma garnison, en tentant d'ignorer mes douleurs aux mains et au dos. À mon arrivée, nos hommes s'étaient cachés dans les fossés de chaque côté de la route; l'ennemi n'était pas très loin. Quelques minutes plus tard, il lançait l'assaut. Cependant, les projectiles n'allaient pas dans notre direction. Les attaques provenaient de part et d'autre de notre position et nous pouvions voir le croisement des bombardements au-dessus de nos têtes. Les Allemands se tiraient les uns sur les autres. Leurs communications n'étant plus efficaces, ils n'avaient plus les informations nécessaires qui leur permettaient de connaître la position des leurs.

Puis, pour la première fois depuis le début de la bataille de Normandie, nous avons aperçu les Américains. Quelle sensation! Nous nous étions enfin renforcés. Notre confiance était à son maximum. La supériorité des Alliés était maintenant évidente et notre système de ravitaillement allait bon train. Dans mon esprit, la victoire était imminente. Avec les Américains et les Britanniques, nous couvrions une importante superficie. J'avais espoir que nous puissions mener à terme cette mission, cette fois pour mon ami Ti-Pat Neault, décédé quelques jours plus tôt. Sa mort m'avait terriblement attristé et j'aurais eu l'impression que la défaite de nos troupes aurait fait en sorte qu'il ait été sacrifié en vain. J'étais encore choqué par l'erreur de la RAF, mais une victoire me permettrait d'être davantage en paix.

Au matin du 21 août, les Polonais ont finalement réussi à fermer la poche sur des milliers d'Allemands, à notre plus grand soulagement. Nous entretenions une très grande complicité avec ces militaires. Les débuts de cette guerre avaient été très féroces entre l'Allemagne et la Pologne. Les Polonais avaient été durement touchés par les Forces de l'Axe et ils n'éprouvaient aucune pitié envers leurs ennemis; ils voulaient regagner leur territoire.

Avec l'énergie du désespoir, les Allemands se sont défendus jusqu'à la fin. Comme les chiffres le démontreront, la campagne de Falaise aura été l'une des plus grandes tueries de la guerre. Il y aura également eu énormément de prisonniers allemands, plus de quarante-cinq mille. Malgré l'aboutissement de la bataille, un désordre s'était créé en raison du nombre élevé de prisonniers. Nous ne savions pas quoi faire d'eux. Peu importait, nous avions mené à terme cette opération.

Falaise libérée
Source : Librairie et Archives Canada

À ce stade, nous n'avons pu que constater la situation de l'ennemi en fuite. Des milliers de soldats allemands avaient été tués durant l'opération visant la chute de Falaise. Des convois complets avaient été détruits par les bombardements quasi constants de l'aviation et les feux de l'artillerie alliée sur le couloir de retraite allemande, appelé le couloir de la mort. Les Allemands avaient voulu fuir les lieux par la brèche qui se resserrait, mais ils n'avaient plus d'essence pour faire fonctionner leurs chars de combat. Ils les avaient attachés ensemble pour les déplacer à l'aide de tanks qui brûlaient les restes de carburant. On pouvait également apercevoir des carcasses de chevaux ainsi que des carrosses, des bicyclettes et des voiturettes d'enfants qui avaient été utilisés pour transporter du matériel.

Poche de Falaise, couloir de la mort
Source : jacqueline-devereaux.blogspot.ca/2011

Nous avons poursuivi l'ennemi en déroute pendant plusieurs jours encore. Nous ne faisions qu'avancer vers lui, tandis qu'il reculait en tentant tout de même de détruire nos moyens de ravitaillement. Bien qu'affaiblie, l'armée allemande demeurait toujours très combative.

Les restes d'un tank allemand de la 12ᵉ division Panzer SS dans la poche de Falaise
Source : www.network54.com

Après la bataille de Falaise, nous étions certains que la guerre serait finie. L'ennemi avait subi énormément de pertes et on croyait qu'il capitulerait. Pourtant, chaque jour qui s'écoulait, la résistance allemande s'intensifiait.

Libération des ports de la Manche

À la mi-septembre, le Régiment de la Chaudière a eu comme tâche de libérer les ports de mer de la Manche de la présence ennemie. En effet, Hitler voulait à tout prix s'emparer de ces installations qui permettaient le ravitaillement des soldats, et ce, au péril de tous ses hommes s'il le fallait. Notre avancée vers le nord pour atteindre la Belgique était menaçante. Le port de

Boulogne était notre première cible. Nous avions dû réaliser plusieurs patrouilles de reconnaissance dans les semaines précédentes afin d'obtenir sur l'ennemi des renseignements qui nous permettraient d'optimiser nos prochaines opérations.

Je devais parcourir plusieurs kilomètres dans le but de transmettre les stratégies qui nous permettraient de bien nous organiser pour nous défendre et attaquer. Chaque jour se ressemblait pour moi; l'adrénaline toujours au maximum, je devais affronter l'inconnu. On me confiait des tâches un peu plus diversifiées, quoique pas toujours agréables. Accompagné d'un confrère, je devais entre autres apporter de la soupe aux soldats installés au front à l'aide de conteneurs accrochés à mon dos, en plein jour, sans moyens efficaces pour me défendre.

Une nuit, nous nous sommes arrêtés sur la route de Boulogne. Pendant que mes frères d'armes se réorganisaient à l'abri, je poursuivais mon travail sur la ligne de feu avec ma moto en patrouillant les lieux et en faisant de la reconnaissance. Là, j'ai vécu un autre moment de grande anxiété : je suis entré dans les lignes allemandes par erreur. Lorsque je m'en suis aperçu, je me suis dit que, si on me faisait prisonnier, je n'aurais probablement pas la chance que j'avais eue à La Mare au lendemain du jour J. Il faisait tellement noir! Je me sentais seul et très vulnérable. Je devais avancer le plus discrètement possible, mais le bruit de ma moto compromettait grandement ma sécurité. Soudain, une balle a passé sous ma cuisse droite et est ressortie derrière mon autre cuisse. Elle avait percé mon réservoir d'essence des deux côtés sans m'effleurer. Je me suis alors empressé de boucher les trous en y appliquant mes cuisses et de quitter les lieux avant que le réservoir se vide et que je sois obligé de me déplacer à pied, seul à travers le territoire hostile.

J'ai finalement réussi à revenir tout près de mes lignes, le cœur palpitant. Toutefois, à mon retour, j'ai eu un trou de mémoire :

j'avais oublié mon mot de passe. Étrangement, la peur qui m'envahissait soudain n'était pas causée par l'ennemi, mais bien par la réaction des miens. Comme nous avions la réputation de nous montrer plutôt impatients à l'arrivée de soldats dans nos lignes, je devais trouver un moyen d'éviter le pire. J'ai eu l'idée de chanter *La Madelon*, cette chanson emblématique française composée à l'époque de la Première Guerre mondiale et que la plupart des bataillons alliés chantaient lors des entraînements :

> *Quand Madelon vient nous servir à boire,*
> *Sous la tonnelle on frôle son jupon,*
> *Et chacun lui raconte une histoire,*
> *Une histoire à sa façon.*

Ce ne fut certainement pas le moment le plus glorieux de ma vie. Ma crédibilité en tant que fier soldat en prenait un coup. De plus, je chantais comme un pied. La peur qui m'habitait ne m'empêchait pas de me sentir ridicule. Le long moment de silence qui a suivi m'a déplu et a grandement avivé mon angoisse de me faire tirer dessus. J'ai donc décidé de chanter à nouveau la chanson du Régiment pour éviter que les miens réfléchissent trop longuement et décident de me cribler de balles. On m'a alors crié le mot de passe comme réponse et j'ai pu réintégrer mes rangs. J'étais encore très nerveux, alors que les autres s'affairaient déjà à leurs occupations. J'aurais aimé fumer une cigarette pour évacuer mon stress, mais on nous l'interdisait toujours la nuit afin d'éviter d'être repérés par le rougeoiement caractéristique.

Après ma mésaventure, j'ai vite rejoint mon peloton. Le major Lapointe s'était installé dans une maison délabrée. Il avait déposé ses cartes et ses plans sur le plancher. J'y suis entré pour lui faire part des informations que j'avais reçues d'un autre officier plus tôt dans la journée. Il ne s'est pas gêné pour me comparer à un zombie. Il m'a dit que j'étais très blême et je semblais extrêmement fatigué. C'était le cas. J'ai rarement démontré cet état de faiblesse au front, mais, là, je n'essayai pas de le démentir. Le major Lapointe m'a ordonné d'aller me coucher à l'étage. J'ai gravi les escaliers et, à mi-chemin, je me suis effondré et me suis endormi aussitôt. Je pense que j'ai dormi là deux heures avant de me lever pour aller me coucher dans une pièce du deuxième étage. J'étais exténué. Cela faisait déjà plusieurs jours que nous dormions par-ci par-là, que nous faisions des patrouilles et de la garde. Il fallait également faire croire à l'ennemi que nous étions en mouvement. Aussi, nous devions fréquemment nous déplacer. Il n'était pas rare que je dorme juste une heure par jour, surtout dans mes moments où je faisais de la garde. Nous dormions où nous pouvions : couchés sur le sol, dans les ruines de maisons, dans les tranchées ou adossés à un arbre. La plupart du temps, il faisait froid, il pleuvait, il ventait. De plus, au front, il nous était impossible de dormir l'esprit en paix, de sorte que nous ne profitions que rarement d'un sommeil profond. Nous devions demeurer alertes en tout temps. Le corps et la tête étaient épuisés, mais venait un temps où nous avancions sur le pilote automatique. Nous fonctionnions comme des robots. C'était en raison de ces exigences qu'il fallait de jeunes gens bien entraînés dans les troupes de combat. Nous étions constamment sur un fil de fer à tenter de rester debout. Je pouvais comprendre pourquoi on entendait souvent dire qu'un homme de trente ans était un vieillard, dans l'armée.

De plus, il y avait de plus en plus de recrues dans nos rangs. Je percevais leur nervosité. J'étais bien conscient qu'il n'y avait rien de drôle pour eux. J'étais passé par là moi aussi quelques mois auparavant. Après un mois au front, nous considérions que nous étions déjà des habitués de la guerre. Ces recrues devaient se fondre à la masse de soldats expérimentés, mais surtout, très unis.

Six jours d'efforts constants ont été nécessaires pour enlever Boulogne aux mains des Allemands. Au cours de la bataille, le

Régiment perdit soixante-deux hommes, dont onze morts, et fit deux cents prisonniers. Quelques jours plus tard, le port de Calais devenait notre prochaine visée. La 3ᵉ division canadienne s'était réparti les lieux et le Régiment de la Chaudière devait nettoyer le cap Blanc-Nez pour rejoindre Calais, à une dizaine de kilomètres de là. Cet endroit était constitué de falaises pouvant s'élever à plusieurs mètres au-dessus de la Manche. Au sommet de la colline du cap Blanc-Nez, les Allemands étaient dissimulés dans des casemates, des antres fortifiés qu'ils avaient eu le temps de bâtir au cours des années précédentes. Construites avec ingéniosité dans des endroits stratégiques, ces installations pouvaient contenir plusieurs milliers d'Allemands. L'ennemi réussissait à nous distinguer à plusieurs kilomètres de distance et par tous les flancs en raison du plan élevé du bunker. Il y avait également des caches de bois pour les canons allemands avec des filets ayant la couleur et la texture du gazon pour camoufler l'endroit. Même si nous étions en mesure de bien situer l'ennemi grâce aux nombreuses photos prises par l'aviation, nous savions bien que leur artillerie ne pardonnerait pas et qu'il serait inévitable pour nous de subir des pertes. Nous avions donc comme tâche de détruire les nids de mitrailleuses et les canons qui s'acharneraient sur nous.

Nous avons d'abord eu l'aide de l'aviation pour ébranler l'ennemi avant que nous puissions monter à l'assaut. Les tanks ont ensuite commencé à bombarder la position allemande. Certains sautaient sur des mines, mais ils étaient vite remplacés. Il ne devait pas y avoir de temps mort; nous devions les assommer. Nous étions à découvert et, encore une fois, l'écran de fumée engendré par les mortiers nous servait de protection par moments. Mais nos efforts ne semblaient pas affaiblir l'ennemi. Il était bien protégé et les tirs des mitrailleuses nous paralysaient. Chaque compagnie du Régiment avait son flanc et tentait une avancée efficace qui permettrait de faire cesser le feu ennemi. Nous avions une tactique commune; il fallait nous entraider pour déjouer les plans des Allemands. Il n'était pas question de retraiter. Même si nous avions vécu la retraite au cours de la campagne de Normandie, je disais toujours que le Régiment de la Chaudière n'avait pas appris à reculer. Au front, je crois qu'il est beaucoup plus difficile de retraiter que d'attaquer; c'est plus facile de courir vers l'avant que vers l'arrière, nous disait-on. En plus, lorsqu'on est en déroute, on est parfois obligé de laisser des cellules de soldats pour retenir l'ennemi et protéger les autres qui tentent de fuir les attaques. Un vide se crée nécessairement à un certain moment et une faille se dessine. Il fallait donc trouver un moyen de se sortir de cette impasse et d'éviter la retraite.

Grâce à la solidarité des compagnies et à la stratégie du Régiment, nous avons réussi à faire en sorte que les Allemands, qui s'étaient entêtés pendant plusieurs heures à vouloir nous faire capituler, hissent le drapeau blanc. En fait, les hommes de la compagnie C ont percé la défense allemande sur le flanc droit de la colline et ont réussi à s'emparer des nids de mitrailleuses qui nous empêchaient tous d'avancer. Nous avons fait plusieurs prisonniers. Encore une fois, le Régiment de la Chaudière récoltait une victoire.

Ainsi prenait fin, pour le Régiment et moi, la campagne de France. Quelques heures plus tard, je suis monté sur la colline avec ma moto pour observer le paysage et constater la vision qu'avaient les Allemands de là-haut. Je me suis dit qu'il avait tout simplement été insensé de notre part d'accepter d'être des cibles aussi faciles.

Au début du mois d'octobre, nous étions tout près de la frontière de la Belgique. Les deux ports ciblés étaient maintenant aux mains des Alliés. Puis, pour la première fois depuis le début de ma guerre, un malaise m'a obligé à quitter mon poste et à faire appel à un médecin. J'avais réussi à taire mes terribles maux de genou jusque-là, mais c'est un tout autre mal qui m'a terrassé. J'avais une forte douleur à la main droite depuis maintenant plusieurs semaines, c'est-à-dire depuis ma chute en moto après la prise de Falaise. Je savais bien, par la couleur et l'enflure des chairs, que quelque chose n'allait pas. J'avais de la difficulté à conduire mon véhicule et le gant que je devais porter me faisait terriblement mal.

Bunkers allemands au cap Blanc-Nez, 1998
Source : journeesdupatrimoine.culture.fr

Le médecin du Régiment a confirmé une infection à la main. Il a voulu me déclarer hors de combat et m'envoyer me faire soigner en Angleterre pour éviter la propagation de l'infection. Cependant, je me voyais mal quitter mon poste et mes frères d'armes pour ce «petit bobo». J'ai insisté pour qu'il me soigne du mieux qu'il le pouvait sans que j'aie à quitter mes fonctions. N'étant pas très difficile à convaincre, il m'a fait une entaille dans la main pour en faire sortir le pus. Il a nettoyé la plaie avec de l'eau et un produit médicamenteux et m'a fait un pansement. Il m'a donné un onguent antibiotique que je devais appliquer deux fois par jour pendant environ une semaine. Je suis retourné au front et ma blessure a guéri avec le temps.

J'ai été chanceux qu'aucune complication ne se manifeste à la suite de cette infection. Cependant, il était impensable que je quitte le front quand je savais que je pouvais encore être utile. Certains auraient profité de cette opportunité pour fuir le combat, mais, si je l'avais fait, ma défection m'aurait hanté le reste de ma vie.

Comble de malheur, peu de temps après, un autre malaise m'a paralysé pendant quelques jours. Comme je ne portais pas de lunettes de protection la nuit lorsque je me déplaçais en moto, la poussière et le vent avaient causé des dommages à mes yeux. J'éprouvais une vive douleur et la lumière du jour m'irritait terriblement. Mon travail en moto devenait de plus en plus ardu et, une fois de plus, j'ai dû consulter le médecin. Il m'a ordonné de m'enfermer quelques jours dans un endroit obscur et fermé pour éviter la lumière du jour et le vent de la mer. Il m'a recommandé de m'installer dans un camion et de fermer les toiles. J'y suis resté deux jours afin d'optimiser mes chances de guérison. Ce temps passé en solitaire à entendre les échos des tirs m'a paru très long. Je ne sortais que pour faire mes besoins, les yeux fermés. J'étais devenu inutile, un soldat qu'on pouvait oublier facilement, pendant que mes compagnons s'acharnaient à survivre. J'avais mal de trop penser, je faisais de l'angoisse, je priais ma tante Alma. Ce n'était pas un épisode que j'avais souhaité, mais je me disais que le destin m'avait peut-être fait prendre une pause pour éviter un incident encore plus malheureux…

Notre problème de ravitaillement n'était pas complètement réglé. La prise du port d'Anvers se présentait toutefois comme une solution à cet inconvénient majeur. Effectivement, ce port de l'estuaire de l'Escaut, situé au nord de la Belgique, pouvait recevoir une grande quantité de marchandise militaire, contrairement aux ports de Boulogne et de Calais conquis précédemment, qui avaient été très touchés par les échanges de tirs et qui ne permettaient pas un ravitaillement efficace. La campagne de l'Escaut devenait donc notre prochaine mission. Cependant, un problème de taille nous attendait: les Allemands avaient détruit les digues, provoquant ainsi l'inondation des terres. Ils avaient réussi à nous clouer sur place. Les déplacements étaient devenus presque impossibles pour l'infanterie. Leur stratégie nous causait tout un casse-tête.

Par chance, nous avions des véhicules amphibies *Buffaloes*, qui servaient à transporter les tanks et les fantassins autant sur la terre que sur l'eau. La logistique pour effectuer les déplacements ou pour traverser des canaux devait être très stricte. En plus, le manque de renfort était apparent. Les conditions auxquelles nous devions nous soumettre étaient pénibles. Une fois de plus, l'ennemi avait l'avantage des positions et rendait difficile notre avancée. Les replis de notre part n'étaient pas rares, et survivre devenait tout un défi. Nous avons combattu pendant plusieurs semaines sous un ciel boudeur, sur des terres non propices à la défense, incapables d'éviter la perte de nombreux militaires, dont plusieurs officiers. Ce n'est qu'au début de novembre que l'opération en vue d'ouvrir le port d'Anvers aux Alliés a été complétée. Ce fut une mission extrêmement difficile, épuisante et chaotique.

Cela faisait maintenant plus de quatre mois que je jouais le rôle d'estafette. De faire des centaines de kilomètres avec une motocyclette altérée par la guerre sur un sol dévasté par l'artillerie, c'était comme de s'asseoir sur une roue de brouette dans un chemin de gros gravier. Lorsque je descendais de mon véhicule, j'avais de la difficulté à marcher, j'étais courbaturé et j'avais mal partout, surtout après avoir chuté plusieurs fois dans la journée. Tout comme mes comparses de l'infanterie, j'éprouvais forcément des malaises après tous ces mois au front. Mon dos me faisait de plus en plus souffrir. J'ai essayé de taire ce mal pendant plusieurs semaines, mais c'était devenu insupportable.

Un jour, je me suis présenté au capitaine Gosselin en insistant pour qu'il m'affecte à un autre travail. Je ne voyais pas d'autres solutions. Malgré ma bonne volonté, je ne pouvais finir la guerre et être efficace en supportant autant de douleur. J'adorais conduire des motos, mais je devais à présent faire autre chose.

Le capitaine Gosselin, qui m'appelait Ti-Nault, ne pouvait accéder à ma demande, puisque la relève n'était pas assez nombreuse et que l'expérience que j'avais acquise depuis le début de la guerre ne se remplaçait pas. Il m'a donc proposé de me faire fabriquer une ceinture de soutien. L'accessoire s'est avéré une bande très large faite de cuir résistant qui couvrait toute ma zone lombaire. Il imitait un corset. Je l'ai reçue quelques jours plus tard et je dois dire que j'ai été impressionné par le confort qu'elle me procurait. De jour en jour, ma douleur s'estompait. Grâce à cette ceinture, j'ai pu poursuivre mon travail sur ma moto, en espérant toutefois qu'il se terminerait au cours des semaines suivantes. Nous sentions le commencement de la fin se dessiner lentement.

Chapitre 10

OFFENSIVES POUR LE JOUR V

POSITION STATIQUE AUX PAYS-BAS

Après la campagne de l'Escaut, nous nous sommes dirigés vers Nimègue, aux Pays-Bas, pour y tenir une position défensive. Nous avons été informés que nous y resterions plusieurs semaines et nous nous en réjouissions en secret. Survivre était moins difficile lorsque nos positions étaient établies à un endroit et qu'il suffisait de nous défendre.

Pendant près de deux mois, quelques rafales de balles occasionnelles nous ont pris pour cible, mais rien de très menaçant comparativement à ce qui s'était passé au cours des mois précédents. Il nous fallait tout de même rester sur un pied d'alerte et demeurer en mouvement pour faire croire à des assauts potentiels contre l'ennemi. Nous effectuions principalement de la reconnaissance sur les terres.

Je me déplaçais moins fréquemment sur ma moto, mais je devais quand même transmettre des messages de temps à autre. Aux Pays-Bas, les rues étaient en ciment et nos tanks endommageaient les voies lorsqu'ils passaient, ce qui rendait difficiles les déplacements par la suite, surtout pour un motard comme moi. Par contre, je n'avais pas à escorter les convois aussi souvent, puisque les troupes ne réalisaient pas de déplacement majeur. À partir de ce moment, j'ai commencé à effectuer des tours de garde avec les autres gars dans les tranchées. Je réussissais à dormir quelquefois, assis dans la boue. J'avais un revolver et un poignard pour me défendre, mais, heureusement, je n'ai jamais été obligé de m'en servir.

Germain Nault à Nimègue aux Pays-Bas, janvier 1945
Source : Collection Germain Nault

Ces deux mois d'attente ont été très difficiles physiquement. L'ennemi n'était pas agressif, mais la température était exécrable. En cette période hivernale, la température se maintenait autour de cinq degrés le jour; nos habits ne suffisaient pas à nous garder au chaud durant les journées complètes que nous passions à l'extérieur. Il pleuvait tout le temps, il faisait terriblement froid et les vents soufflaient souvent très fort. Dans les tranchées, nous mettions au-dessus de nos têtes de gros morceaux de métal trouvés dans les débris pour éviter que les intempéries ne nous affectent trop. L'inconfort minait notre énergie et nous rêvions d'un lit chaud qui demeurait inaccessible.

Parfois, quand les tranchées étaient immergées, nous nous réfugiions dans les maisons et dans les sous-sols. Nous assurions notre propre confort, toujours très relatif. Il nous fallait constamment nous débrouiller. En plus, nous ne pouvions nous servir de nos tanks, car ils étaient incapables de se déplacer sur les terres inondées.

Lorsque je devais effectuer un travail en moto, la boue devenait un obstacle majeur à mes déplacements; je m'enlisais souvent et j'avais du mal à me sortir de la vase. C'était épuisant, mais je devais composer avec ces inconvénients comme tous les autres. Mon moral était très bas.

Le climat attaquait insidieusement notre optimisme et se révélait notre second ennemi. Plusieurs devenaient impatients et se plaignaient constamment. C'était bien pire lorsque du courrier nous parvenait d'Amérique; certains apprenaient que leur femme les laissait tomber, d'autres que leurs enfants étaient malades. En plus, à notre arrivée à Nimègue, cela faisait déjà plusieurs mois que nous étions en état d'alerte et que l'adrénaline était au plafond. La chute de la tension et les déplacements moins réguliers nous laissaient sans ressort. Nous tombions de haut.

Par une nuit de décembre, alors qu'aucune tâche ne m'avait été assignée, j'ai offert à un gars affecté à une tranchée de se trouver un endroit pour dormir pendant que je poursuivrais la garde à sa place. Il était visiblement épuisé. Ce n'était pas la première fois que je permettais à quelqu'un de se reposer. L'homme m'a un peu expliqué les consignes et indiqué où étaient nos hommes les plus près. Habituellement, nous devions être au moins deux dans la tranchée, mais, là, j'étais seul. L'aube commençait à pointer. Je ne craignais rien. J'étais sur mes gardes, mais sans plus.

Soudain, j'ai senti une main me toucher l'épaule. Je me suis retourné en prenant soin d'orienter vers l'individu mon revolver dissimulé près de mon corps. C'était un Allemand. J'ai été ébranlé. Il n'avait plus de chaussures, ses pieds étaient recouverts d'un linge et il tenait un autre linge blanc dans ses mains en signe de reddition. Il m'a expliqué en français qu'il s'était caché dans une grange durant la journée. J'étais un peu désemparé ; je ne savais pas quoi faire de lui. J'ai reculé pour aller voir les autres gars, en prenant bien soin de ne pas le perdre de vue. Je leur ai mentionné sa présence, on l'a fait prisonnier et il m'a semblé très content que sa guerre soit terminée. J'ai encore mieux compris que certains soldats ennemis, tout comme nous, ne faisaient que leur travail, souvent à contrecœur.

Nous avons dû passer Noël 1944 dans les tranchées. Il aurait été trop dangereux de relâcher la garde, la menace allemande s'étant amplifiée ; nous devions donc quitter notre poste le moins possible. C'était humide, il faisait froid, les arbres et le sol étaient couverts de givre, mais, par chance, le ciel s'était éclairci. Les Allemands faisaient jouer de la musique de Noël que de gros haut-parleurs diffusaient et ils avaient enregistré le bruit de chevaux trottant sur l'asphalte. La plupart des militaires avait reçu du courrier en ce 25 décembre. J'avais moi-même eu droit à un petit paquet contenant une paire de bas tricotés à motif carreauté et des cigarettes. Dans le froid hivernal, ce présent me procurait une chaleur fort appréciée. C'était madame Ouellet, la femme du notaire de mon village, qui avait amassé de l'argent et qui m'avait expédié ces cadeaux en Europe. En association avec la Croix-Rouge, elle était chargée d'envoyer des dons aux militaires de Bromptonville.

Cette nuit-là, la destinée allait encore faire des siennes. Dans la paire de bas, il y avait un petit bout de papier avec un nom de femme inscrit dessus : Stella Grégoire. J'ai compris que cette dame faisait partie de la famille Grégoire, de Bromptonville, mais je n'avais jamais entendu son nom auparavant. Elle avait mis son nom dans les bas qu'elle avait confectionnés, ne sachant pas à qui son cadeau était destiné. Peut-être agissait-elle ainsi chaque fois qu'elle fabriquait un don destiné à être envoyé outre-mer. Quoi qu'il en fût, je trouvais cette attention sympathique. J'ai pris soin de plier le papier et de le mettre en sûreté dans mon sac. J'avais la ferme intention d'investiguer davantage sur cette délicatesse si je revenais vivant dans mon pays.

Au cours de cette nuit de Noël, l'aumônier est venu dans les tranchées nous donner la communion en nous faisant promettre de nous confesser une fois la guerre terminée. C'était l'abbé Dalcourt, un homme pour qui nous avions énormément de respect et pour qui nous aurions pu déplacer des montagnes. Sa présence était réconfortante pour nous, autant que sa foi profonde. C'était un ami pour tout le monde. Je me souviens plus particulièrement de son nez proéminent. C'était un vrai homme du peuple, courageux, même téméraire. Comme il l'avait écrit sur une note laissée à un ami, son seul désir était d'être sur la ligne de feu « avec ses soldats, ses petits gars, dans la boue, sous la pluie du ciel et sous la pluie de l'ennemi. » Même si les aumôniers n'étaient pas formés comme nous pour la guerre, ils savaient tout de même à quoi s'attendre au front. C'était le cas du père Dalcourt. Il se promenait constamment de tranchée en tranchée, allant d'un soldat à l'autre pour donner la communion ou les derniers sacrements, en remettant, les yeux fermés, son destin entre les mains de Dieu. Le Régiment de la Chaudière pouvait se considérer chanceux de le compter parmi ses effectifs. Au jour de l'An, nous avons eu le plaisir de déguster un bon repas au chaud à l'intérieur d'un monastère, à Nebo. À ce moment, les Allemands étaient plutôt affaiblis. Nous avons été relevés par le *Queen's Own Rifles* par petits groupes à la fois, et nous avons enfin pu avoir un peu de bon temps. Le monastère était intact, mais abandonné. Certains militaires du *Queen's Own Rifles* y étaient le soir de Noël; ils avaient réussi à réparer le système de chauffage. Un repas, une douche, mais surtout un endroit chauffé ne pouvaient que nous réconforter.

Nous avons mangé du poulet et des pommes de terre avec une sauce blanche. Cela faisait plusieurs mois que nous mangions des biscuits secs, du chocolat, des sardines et de la viande de bœuf en conserve *Fray Bentos Brand*. Ce repas représentait donc tout un festin. Malgré la satisfaction que j'en éprouvais, j'avais hâte de quitter pour finir la guerre au plus vite. Nos officiers tentaient de nous encourager du mieux qu'ils le pouvaient en nous disant que la prochaine bataille serait peut-être la dernière. Elles semblaient toujours être les dernières, mais la guerre n'arrêtait jamais.

La grande offensive

L'immobilisme du Régiment de la Chaudière dans la ville de Nimègue s'est finalement terminé au début février. Nous devions participer à la grande offensive visant à repousser les Allemands dans leur propre territoire. Pendant deux semaines, nous avons dû combattre un ennemi sur la défensive dans des terres germano-néerlandaises encore inondées en raison de la destruction des digues. Il s'agissait de l'opération *Veritable*. Les déplacements étaient difficiles et l'utilisation des véhicules amphibies *Buffaloes* demeurait nécessaire.

L'opération *Veritable* progressant plus lentement que prévu, il fut décidé qu'on lancerait une seconde opération baptisée *Blockbuster*, en ajoutant aux unités déjà en place deux divisions de blindés. Le principal objectif du Régiment de la Chaudière était de s'emparer du village de Hollen. L'offensive a débuté le 26 février avec l'aide massive de l'artillerie alliée de plusieurs régiments. Pendant plus de quinze heures, nous avons combattu une résistance allemande très robuste qui réussissait à nous tendre des pièges et qui nous a forcés à nous replier à quelques reprises. Le terrain, à cet endroit, était à découvert et nous avions peu de possibilités de nous camoufler. Plusieurs de nos gars ont été mis hors de combat durant cet assaut.

Mon travail était très ardu. J'avais repris le guidon de ma moto et les échanges de tirs étaient très soutenus; encore une fois, de me déplacer dans ce chaos n'avait rien de rassurant. Je devais constamment aller d'une compagnie à une autre, en tentant chaque fois de me présenter sain et sauf aux officiers des unités pour leur transmettre des informations. Survivre était ma principale préoccupation, je l'admets. Je me frayais un chemin parmi les blessés, les morts, les véhicules incendiés, les cratères au sol. Je croisais Castilloux et Raymond; nous nous regardions, nous nous comprenions, nous compatissions. La bataille de Hollen était un véritable enfer, tout comme Carpiquet plus tôt durant la campagne de France. Nous avons cependant réussi tant bien que mal à atteindre nos objectifs en fin de journée. Cependant, deux jours plus tard, soit le 28 février, un événement malheureux a porté un grand coup au moral du Régiment.

Ce jour-là, le beau temps n'était pas au rendez-vous. Le ciel était désespérément gris et la pluie battante ne nous aidait aucunement à progresser. La prise de Hollen avait fait beaucoup de dégâts dans notre unité. L'engagement ne dura qu'une quinzaine d'heures, mais, durant ce court laps de temps, nos pertes s'élevèrent à dix-sept morts et cinquante-quatre blessés. Par contre, le bataillon fit deux cent vingt-quatre prisonniers. Comme après chaque bataille, nous devions rapatrier les blessés et les morts restés sur les lieux. Je me trouvais près de Keppeln, une ville située à quelques kilomètres de Hollen. Au loin, je pouvais voir plusieurs tanks qui avaient été atteints par les obus ennemis et qui étaient immobilisés. Il semblait y avoir eu tout un carnage à cet endroit.

L'aumônier du Régiment est venu me voir pour me demander si je pouvais le conduire dans les lignes ennemies. Nous devions aider nos soldats blessés à se sortir de là et l'abbé Dalcourt voulait être présent pour donner les derniers sacrements. Les Allemands n'étaient pas très loin, nous sentions bien leur présence, et se rendre à cet endroit constituait une mission fort périlleuse. Cependant, j'ai accepté sans hésiter la requête de l'aumônier.

Comme je me déplaçais en moto, j'ai dû demander à Gauthier, un autre soldat affecté au transport que j'avais côtoyé régulièrement en Angleterre, de me prêter sa chenillette. Il m'a répondu qu'il était préférable qu'il y aille lui-même; son véhicule était très difficile à manœuvrer en raison d'une défectuosité. Il était plus habitué que moi à son *Bren Carrier* et j'ai acquiescé sans hésitation. C'était plutôt attentionné de sa part de m'avoir informé du problème. Dalcourt est monté à bord de la chenillette avec Gauthier et deux autres camarades. Le véhicule s'est éloigné rapidement.

Quelques minutes plus tard, je l'ai observé, au loin, alors qu'il s'arrêtait près des chars immobilisés sur les lieux de la bataille. J'apercevais l'aumônier et mes frères d'armes qui s'entraidaient pour transporter les blessés dans le *Bren Carrier*. J'ai tourné le dos à la scène pour regagner mon poste. Soudain, alors que j'étais sur le point d'enjamber ma moto après avoir reçu des ordres, j'ai entendu une énorme explosion. Je me suis immédiatement tourné vers la détonation en me penchant pour éviter de possibles tirs. J'ai vu l'horreur encore une fois. Les morceaux enflammés de la chenillette dans laquelle se trouvaient notre cher aumônier et mes camarades virevoltaient dans les airs. Le véhicule avait roulé sur une mine anti-char en voulant revenir au bataillon et n'avait eu aucune chance. Les débris du véhicule et les corps des hommes sont retombés sur le sol autour du site de l'explosion.

Je me suis d'abord figé quelques secondes en pensant que c'était mon existence qui aurait pu s'arrêter si Gauthier n'avait pas insisté pour conduire son véhicule. Puis, mon cœur a fait plusieurs tours quand je me suis mis à penser à notre aumônier. J'ai démarré ma moto et j'ai filé à toute vitesse sur les lieux en fixant la scène. Mon corps était tout engourdi et je ne sentais plus la pluie sur mon visage. J'étais bouleversé par ce que je voyais. J'avais espoir d'y trouver mes amis encore vivants. Je ne me méfiais pas des mines, sachant que le poids de ma moto ne suffirait pas à les déclencher.

J'ai ralenti en apercevant les centaines d'hosties étalées sur le sol. La chaleur du feu me brûlait les yeux et l'odeur qui se dégageait m'obligeait à respirer par la bouche. Des brancardiers de la Croix-Rouge se sont immédiatement présentés et se sont affairés à aider les survivants et à rapatrier ceux qui n'avaient pas eu autant de chance. Mes espoirs se sont effondrés à ce moment. J'ai aperçu Dalcourt et Gauthier, inertes l'un près de l'autre. La vue de ces corps mutilés, calcinés par endroits, ne laissait aucun doute sur leur état. Nous venions de perdre notre précieux aumônier, un homme bon qui s'était sacrifié pour ses «petits gars». J'étais atterré. Gauthier, quant à lui, m'avait également permis de poursuivre cette guerre à sa place. Mon chemin était tracé, ce n'était pas mon tour. Je n'en revenais pas. Je me disais que le destin ne m'aurait peut-être pas fait prendre le même chemin que Gauthier, mais j'étais reconnaissant. Je ne pouvais que constater une fois de plus tous les sacrifices de mes frères d'armes, et cela ne faisait qu'alimenter mon courage.

Soldat Gauthier, Angleterre, 1943
Source : Collection Germain Nault

Laissant les brancardiers et les médecins faire leur travail, j'ai aussitôt repris ma moto en n'ayant qu'une idée en tête, parcourir une vingtaine de kilomètres dans la boue pour aller chercher l'aumônier d'un autre régiment afin qu'il puisse récupérer les hosties et administrer les derniers sacrements. À cette époque, la religion était sacrée. Aujourd'hui, bien des gens passeraient sur les hosties avec leur camion.

Je suis parvenu à atteindre le *North Shore* et à informer un officier de ce qui venait de se passer. Quelques minutes plus tard, j'ai aperçu l'aumônier en chenillette qui se dirigeait vers nos lignes. Je ne suis pas retourné sur les lieux; j'en avais assez vu pour cette journée.

J'étais épuisé de devoir poursuivre ma route chaque fois qu'un événement comme celui-là se passait, mais c'était ce que j'avais à faire. Chaque jour, la guerre multipliait ses morts. Je ne me sentais pas nécessairement soulagé d'avoir survécu. Il m'est arrivé de me sentir coupable d'être en vie, mais je croyais encore dur comme fer que notre chemin était tracé et que même la guerre ne parviendrait pas à le détourner.

Jusque-là, tout portait à croire que je faisais partie de ces soldats qui devaient rester debout pour pleurer les disparus et continuer la bataille malgré tout. Nous devions faire de nous des surhommes et rester forts en dépit de l'injustice que nous subissions en perdant nos amis. En fait, c'est ce que je m'ordonnais. La victoire se pointait et nous étions de moins en moins incrédules devant l'éventualité d'une conclusion à notre vie d'enfer. Nous combattions par automatisme. Nous vivions d'espoir, un espoir un peu retenu dans mon cas. On ne peut dire que nous démontrions de l'enthousiasme, mais nous tentions de rester positifs. Nous espérions tous ardemment nous rendre au jour V de la victoire et nous demeurions très prudents dans nos déplacements et actions.

À la fin mars, le Régiment a franchi le Rhin, fleuve traversant les Pays-Bas, alors qu'un pont *Bailey* avait été construit par les ingénieurs canadiens dans des conditions plutôt difficiles. Ces ponts portatifs étaient destinés à remplacer les ponts détruits par les Allemands dans le but de freiner la progression des Alliés.

Nous avons livré plusieurs batailles à divers endroits dans les semaines qui ont suivi. Nous devions nettoyer les régions en progression vers le nord des Pays-Bas et pousser notre avancée vers l'Allemagne, pour ainsi détruire les dernières résistances ennemies, les nids d'Allemands comme on les appelait. Hoch Elten, Zutphen, Zwolle, pour ne nommer que ceux-là, étaient nos principaux objectifs. Nous nous sommes couverts de gloire à ces endroits, non sans toutefois éprouver des difficultés par moments. Souvent, nous étions très près du lieu à libérer, mais cela pouvait prendre plus d'une semaine avant que nous puissions nous en emparer.

Il m'était pénible de constater que, chaque jour qui survenait, il manquait toujours de plus en plus de mes amis. Avant les assauts, il arrivait fréquemment que nous nous serrions la main en pensant que ces gestes allaient peut-être être les derniers. Nous nous demandions qui allait manquer à l'appel la prochaine fois. Il y avait de moins en moins de vieux, comme on disait, et les recrues prenaient la relève. Nous les scrutions à la loupe, comme si nous leur en voulions de prendre la place de nos amis. Avec l'expérience du combat, nous étions en mesure de prédire ceux sur qui nous pourrions compter et ceux qui seraient plus faibles. J'étais conscient que cette situation était difficile pour eux.

À Zutphen, aux Pays-Bas, nous avons fait de nombreux prisonniers SS. Même si les Allemands étaient coincés, ils continuaient de croire en leur supériorité. Ils anticipaient leur victoire et continuaient d'exécuter le salut allemand. C'était tout de même incroyable un tel acharnement et une telle confiance, alors qu'ils étaient entourés de plusieurs geôliers. L'Allemagne avait enrôlé de jeunes Néerlandais pour tâcher de compenser leurs pertes. Certains avaient une quinzaine d'années seulement. Ces jeunes SS se laissaient cependant constituer prisonniers facilement; ils n'avaient pas été entraînés et ils n'avaient aucune motivation à combattre, surtout qu'ils constataient l'affaiblissement des leurs. Ceux qui n'étaient pas de la Jeunesse hitlérienne étaient également nombreux à déposer les armes devant la fin imminente. Ils se promenaient avec des mouchoirs blancs ou les casques levés. Ils prenaient des morceaux de bois à l'extrémité desquels ils enroulaient une serviette blanche. Ils n'étaient plus les soldats à l'allure fière du début. Plusieurs avaient des guenilles en guise de chaussures.

Une fois, lorsque nous étions à la frontière allemande, j'ai fait monter un SS prisonnier sur ma moto pour l'amener aux autorités. Je m'étais assuré qu'il n'avait plus d'arme sur lui avant de le conduire derrière nos lignes. N'empêche, je n'avais pas l'esprit tranquille durant le trajet. Il marmonnait et semblait irrité, mais il n'a pas tenté de m'attaquer. Les SS demeuraient toutefois arrogants et menaçants dans leurs paroles et leur langage non verbal. Quelquefois, certains de nous ne se gênaient pas pour leur faire voir des étoiles en leur assenant un coup de poing au visage.

La bataille de Zutphen prit fin le 5 avril. Les deux jours qu'elle avait duré, le Régiment avait perdu cinquante-six hommes, dont dix-sept tués. À la mi-avril, lorsque Zwolle, ville située à environ soixante kilomètres au nord de Zutphen, fut libérée, nous avons une fois de plus fait la joie de milliers de civils. Cela faisait déjà près de cinq ans que les Pays-Bas étaient occupés par les Allemands et que ses habitants vivaient dans des conditions extrêmement difficiles. Il y a même eu une trêve entre les Allemands et les Alliés pour permettre aux Néerlandais de recevoir de la nourriture et de l'eau. Ils étaient vraiment mal en point. Ils nous ont donc accueillis en vrais sauveurs. Ils nous faisaient des cadeaux à profusion, des fleurs, de l'alcool, de la nourriture... Il fallait cependant rester sur le qui-vive et faire attention à ce que nous recevions; des collaborations avec l'ennemi étaient toujours possibles.

Je poursuivais mon travail en dirigeant le convoi et plusieurs civils s'arrêtaient pour discuter avec moi. Certains parlaient français, d'autres non, mais il était évident qu'ils n'avaient que des bons mots à me dire. Je me souviendrai toujours de la femme qui est accourue vers moi pour m'embrasser. Cela faisait plus d'une dizaine de jours que je ne m'étais ni lavé ni fait la barbe. Je ne devais pas sentir très bon. Elle était vraiment heureuse d'être enfin libérée, et enchantée de pouvoir discuter en français avec moi. Pour une rare fois au front, j'ai laissé paraître un sourire.

Les gens ne finissaient plus de nous sauter au cou pour nous remercier. Parmi tous les habitants que nous avons libérés, je crois que ce sont ces Néerlandais qui ont réagi le plus fortement à notre arrivée. Pour moi, c'était une vraie source de motivation que de voir des visages s'illuminer en raison de notre ténacité. On avait fabriqué une affiche sur laquelle on pouvait lire : *The German stole our food, the Canadians our heart*[18]. Ces mots en disaient long sur leur reconnaissance. Nous ne pouvions toutefois rester bien longtemps pour fêter avec eux, car la ville voisine avait aussi besoin de notre aide.

La frontière allemande était maintenant franchie. Le 24 avril, nous étions à Bünde pour tenter d'arrêter l'assaillant qui nous bombardait continuellement. Je me souviens bien de mon passage dans cette ville, puisque c'est à cet endroit que le major

---

18. «Les Allemands ont volé notre nourriture, les Canadiens, notre cœur!»

Lamoureux a été blessé, lui qui assumait le commandement de la compagnie A en remplacement du major Lapointe, lequel avait monté en grade. Pour l'avoir côtoyé à plusieurs reprises dans mon travail de chauffeur en Angleterre, je considérais le major Lamoureux comme un officier exemplaire et très sympathique. C'était un homme pétri de grandes valeurs humaines.

Affiche néerlandaise

Si le destin ne m'avait pas fait passer près de lui ce jour-là pour lui venir en aide, je ne crois pas qu'il aurait survécu à sa blessure. Une bombe avait explosé à proximité de lui et un éclat de métal lui avait coupé la jambe. J'ai été le premier sur les lieux et j'ai attendu les brancardiers. Je voyais bien qu'il voulait être courageux et fort, mais il avait manifestement du mal à retenir ses cris de souffrance. Il n'a pas essayé de regarder sa blessure, sachant très bien l'ampleur des dommages qu'avait provoqués l'obus. Le regard qu'il m'a adressé en disait long sur son inquiétude. Je lui parlais constamment en lui disant que tout allait bien se passer. Je l'espérais réellement.

Avec un fil de fer, j'ai dû faire un garrot autour de sa jambe pour arrêter le sang et limiter les dégâts. On appelait ces méthodes de la médecine de campagne, mais c'était tout ce que je pouvais faire. J'ai tenté de retrouver le bout de sa jambe, mais en vain. Il est retourné en Angleterre avec le souvenir de la guerre empreint sur son corps à tout jamais. Comme bien d'autres de mes compagnons d'armes, le major Lamoureux a été un héros jusqu'à la fin de son périple sur la ligne de feu. Il fera toujours partie des gens que je respecte, de ceux qui ont combattu jusqu'au bout et qui ont démontré un courage exemplaire.

Au début du mois de mai, l'Allemagne battait toujours en retraite. Nous avions l'avantage sur tous les plans. Notre moral était excellent, mais nous n'avions plus la notion du temps ni du moment présent. Nous recevions des ordres et nous les exécutions, nous combattions et nous avancions; nous étions presque devenus des automates à la poursuite de l'ennemi. Les derniers jours de la guerre se ressemblaient. Le 2 mai, nous nous préparions à un nouvel assaut, celui-là dans le but de nous emparer de la base navale d'Emden, fortement défendue par les canons ennemis. Cependant, l'attaque ne devait jamais avoir lieu. Nous avons perdu contact avec l'ennemi et, soudain, nous ne nous sommes plus sentis menacés.

Deux jours plus tard, nous avons su qu'un civil allemand était venu aviser le commandant d'une compagnie du Régiment que l'Allemagne ne voulait plus se battre. Quelques heures après, les troupes ennemies se rendaient sans condition. Le cessez-le-feu définitif fut ordonné le 5 mai 1945 et nous en avons été informés aussitôt. Nous ne le croyions pas. La guerre était terminée pour nous et, trois jours plus tard, les Forces de l'Axe signaient leur capitulation. Les Alliés venaient de libérer l'Europe de l'Ouest et les combats de la Seconde Guerre mondiale étaient devenus choses du passé pour le Régiment de la Chaudière.

Il est difficile d'expliquer quel était mon état d'esprit après des mois dans une réalité noire où tout ce qui m'entourait n'avait rien de gai. La bulle défensive qui m'enveloppait ne faisait que se solidifier de jour en jour. De craindre et de demeurer sur mes gardes était devenu normal. L'annonce de la fin de la guerre ne pouvait m'inspirer rien de plus qu'une démonstration de soulagement. J'avais passé à travers.

Au front, on se disait souvent entre nous que la fin de nos jours d'enfer nous induirait certainement à crier comme des défoncés et à sauter partout. Ce n'est aucunement de cette façon que nous avons réagi. Nous nous rencontrions en nous disant sans trop d'émotivité : « As-tu entendu parler de ça ? Il paraît que la guerre est finie ! » Pourtant, notre but ultime était d'en arriver là, à ce jour V pour lequel nous avions combattu pendant des mois. Personnellement, je n'avais pas la certitude d'être libéré définitivement. Tant que je porterais mon uniforme et que mes pieds ne franchiraient pas la porte de la maison familiale, je resterais prudent. La guerre m'avait appris à penser ainsi.

Nous sommes restés près de deux semaines en Allemagne après la signature de la reddition officielle. Nous devions récupérer nos véhicules, rassembler notre matériel et nous réorganiser avant de quitter les lieux. Je côtoyais fréquemment Castilloux et Raymond. Nous nous cherchions du regard, nous tâchions autant que possible de passer des moments ensemble.

Je me suis promené sans arrêt pendant plusieurs jours avec une chenillette pour faire de la garde. En effet, des nids de soldats SS ont continué à nous assaillir pendant quelque temps. Néanmoins, je me sentais presque en sécurité dans mon char, même si j'avais encore peine à croire ce qui nous arrivait. Nous n'avions plus à craindre de fumer une cigarette ou d'allumer des lumières la nuit, nous n'avions plus à nous cacher ou à chuchoter, nous n'avions plus à être les meilleurs ou les plus forts. Je regardais les survivants et plus que jamais je me sentais près d'eux, complice dans cette fin de guerre. Tellement de vies avaient été sacrifiées!

Les hommes avaient combattu solidairement afin de libérer des pays occupés par les troupes d'un homme immoral. Comment avions-nous fait pour passer à travers une telle inhumanité, une telle anormalité? Des mois à combattre les tirs ennemis à travers la faim, la fatigue, le froid, la perte de frères d'armes! C'était devenu notre mode de vie. Jour après jour, heure après heure, seconde après seconde, nous avions eu à subir les maux, le deuil, la peur, la colère, l'ennui, la solitude, le désespoir, et ce, pendant trois cent trente-quatre jours consécutifs. Attaquer, se défendre, obéir, tenter de rester vivant loin des siens, loin de son habituel confort, loin de la justice et de la civilité, c'était excessivement épuisant. L'humain est incroyablement résistant, croyez-moi.

Mais nous étions vidés. J'avais du mal à imaginer l'état des prisonniers ou de ces Juifs sous l'emprise du joug nazi qui avaient souffert le martyre dans les camps de Pologne, d'Allemagne ou d'Autriche. Nous avions entendu parler vaguement de ces barbaries au front, mais sans plus. Tout ce qui concernait l'holocauste nous était raconté comme les adolescents véhiculent des rumeurs entre eux; nous étions trop loin des faits cités pour réaliser l'ampleur de cette aberration.

En ce qui me concerne, je venais de passer mille deux cent quatre-vingt-cinq jours loin de chez moi. Je réussissais tant bien que mal à revenir à une réalité que j'avais presque oubliée.

Chapitre 11

LA VIE MALGRÉ TOUT

L'OCCUPATION

Je suis resté en Europe jusqu'en décembre de la même année. Le rapatriement des militaires vers l'Amérique s'effectuait par bataillon. Un numéro avait été assigné pour tout le Régiment et nous allions voir quotidiennement s'il apparaissait dans les listes des départs affichées sur un babillard. Nous aurons finalement quitté l'Europe dans la dernière vague. Mon désir de revenir à la maison était tellement intense que ces huit mois m'auront paru autant de décennies.

Amersfoort aux Pays-Bas avait été choisie comme première ville d'accueil le temps du rapatriement. Leersum, également aux Pays-Bas, et Aldershot, en Angleterre, ont compté plus tard parmi les villes où le Régiment de la Chaudière s'est établi pendant la période d'attente.

Ainsi, à la fin de mai 1945, nous nous sommes d'abord rendus aux Pays-Bas où nous avons été accueillis à nouveau par la gratitude d'une population très enthousiaste et plus que généreuse. Les Néerlandais éprouvaient de la reconnaissance envers les Canadiens et chacun se faisait un devoir de nous remercier à sa façon. Il était fréquent de nous faire inviter à un repas ou tout simplement à boire un petit verre dans un pub. Nous acceptions volontiers et nous nous liions d'amitié avec certaines personnes. Ce fut effectivement mon cas.

J'avais toujours la tâche de conducteur. Un soir que j'étais assis dans ma jeep à attendre un officier à la sortie d'un club, un couple s'est arrêté près de mon véhicule et a engagé la conversation avec moi. Les deux époux étaient plus vieux que moi et ils étaient très instruits; ils parlaient quatre langues. L'homme était dentiste. Comme je venais reconduire des officiers presque tous les soirs à cet endroit, ils m'ont offert l'hospitalité le lendemain le temps d'un bon repas. Par la suite, l'invitation a été souvent renouvelée. Je m'informais d'abord à l'officier que je devais reconduire de l'heure à laquelle il voulait que je revienne le chercher et je quittais avec mes nouveaux amis. Cette activité m'évitait d'attendre l'officier dans ma jeep, pendant qu'il s'affairait à prendre ses petits drinks. J'aimais beaucoup passer du temps avec mes nouveaux amis. Nous allions dans des clubs, juste nous trois, et nous nous racontions des anecdotes de nos vies respectives. La guerre ne faisait pas partie de nos discussions et j'étais bien heureux de me changer les idées et d'oublier un peu ce que je venais de traverser.

Durant cette même période, on m'a avisé que j'allais recevoir le grade de caporal. Les officiers haut placés nous donnaient des responsabilités et, quand nous faisions un bon travail, ils nous récompensaient en nous offrant un grade supérieur. Il fallait nous démarquer, être obéissants et démontrer de belles qualités relationnelles et professionnelles. J'ai donc agi à titre de superviseur dans le transport pendant quelques mois. Le grade de caporal me valait seulement trente cents de plus par jour. Toutefois, on m'a offert un salaire de sergent, puisque j'ai obtenu la certification du cours de mécanique, le *Motor Mechanic*. À partir de ce moment, j'ai donc reçu un dollar quatre-vingt-quinze par jour plutôt qu'un dollar cinquante.

J'ai également fait la connaissance d'une Néerlandaise après la guerre. Elle a fait battre mon cœur pendant près de cinq mois. Nous allions souvent au cinéma ou au restaurant. Nous avions beaucoup de plaisir ensemble. Nous espérions même un avenir commun et nous préparions un retour au Canada ensemble. Notre histoire s'est cependant arrêtée à la suite d'un malheureux malentendu qui m'a fait découvrir en elle tout un caractère. Nous nous étions donné rendez-vous, mais, en raison de mes tâches toujours effectives dans le transport, j'ai eu un léger retard qui l'a mise hors d'elle. J'ai rapidement tourné les talons. J'étais loin d'être prêt à accepter des insultes sans fondement. Après tout ce que j'avais vécu depuis mon arrivée en Europe, je n'avais plus aucune tolérance pour l'agressivité, quelle qu'en soit la nature. J'ai mis abruptement un terme à cette relation et je ne l'ai jamais regretté. Je ne peux pas en dire autant d'elle, qui m'a poursuivi pendant des semaines pour s'excuser, même après mon retour au Canada.

Pendant la période d'attente, j'ai retrouvé Lacroix, mon compagnon de Valcartier, que je n'avais pas vu depuis plusieurs mois. Nous avons passé beaucoup de temps ensemble durant ces huit mois, surtout lors des activités organisées. En effet, un programme de divertissement avait été établi dans le but d'affermir notre moral. Nous en avions bien besoin, mais sortir les militaires de leur cafard d'après-guerre s'avérait une mission très difficile. Bien des hommes se sont isolés par la suite et n'ont pu remonter la pente. Comme je l'ai toujours fait, je côtoyais des soldats qui avaient la volonté de passer à autre chose, ou du moins qui n'évoquaient pas toujours le passé. C'était nécessaire à ma survie. Le cafard m'assaillait également, mais j'avais la capacité de mieux le gérer que plusieurs de mes confrères. J'étais en mesure de comprendre que chaque épreuve de ma vie me permettait de devenir une personne de plus en plus solide et confiante. C'était dans ma nature de penser ainsi; c'était ce que mon grand-père m'avait inculqué.

Finalement, à la mi-décembre, mon bataillon a eu le feu vert pour quitter l'Europe. Je ne réalisais pas que j'allais bientôt

Germain Nault devant un mur d'exécution, Pays-Bas, 1945
Source : Collection Germain Nault

retrouver ma famille, mon village, ma petite routine au Québec. J'ai pris soin d'envoyer une lettre à mes parents pour les avertir que j'allais être de retour dans quelques jours. J'imaginais la sensation de soulagement que ma mère a dû éprouver à la lecture de mes derniers mots en provenance d'outre-mer. Pour ma part, je n'appréhendais pas mon retour au Canada, mais j'étais anxieux à l'idée de devoir rencontrer les familles de mes amis disparus. J'étais toutefois très positif et je faisais confiance à la vie; elle m'avait bien servi jusque-là.

Pour le Régiment de la Chaudière, le retour au Québec n'a pas été de tout repos. Le confort du trajet vers l'Europe en 1942 n'a pas été égalé cette fois-là. Depuis l'Angleterre, nous avons voyagé à bord du *Queen Elizabeth* en direction de New York. Ce paquebot avait une capacité de près de deux mille trois cents passagers, mais, dans cette traversée de l'Atlantique, nous étions environ douze mille militaires entassés les uns sur les autres. Il va de soi que la patience était de mise pour favoriser la bonne entente. Lacroix, Castilloux et Raymond s'étaient choisi un lit près du mien et nous dormions au onzième étage dans les dortoirs. Les lits étaient superposés et je devais gravir une échelle pour atteindre le mien. Il n'y avait pas beaucoup d'espace entre chacun des sommiers et ma tête touchait au lit du haut lorsque je m'assoyais. Il ne fallait pas être trop exigeant sur le plan des commodités. Après ce que nous venions de vivre, nous ne trouvions pas là matière à nous plaindre et nous nous contentions sans problème de ce modeste espace. Au front, nous n'espérions même pas dormir sur un matelas.

Pour se rendre au Canada, l'équipage du *Queen Elizabeth* désirait battre le record de vitesse. Si je me souviens bien, c'était le *Queen Mary* qui avait fait le meilleur temps en 1938, soit trois jours et trois heures pour le même trajet. Finalement, notre bateau a mis six jours à traverser l'océan. Une grosse tempête a fait rage sur l'Atlantique. Avec cet océan agité et les vagues qui pouvaient atteindre près de vingt mètres de haut, le capitaine a sans doute eu bien du fil à retordre pour maîtriser le gigantesque navire. Et, bien entendu, ces montagnes d'eau ont provoqué le mal de mer chez plusieurs. J'ai vu des gars être cinq jours sans manger pour éviter les nausées. Plusieurs récitaient leur chapelet. Ainsi, seulement la moitié des hommes ont accepté de participer au repas du réveillon de Noël. J'ai d'ailleurs gardé le menu du souper de Noël du *Queen Elizabeth* dans mon sac et j'en ai fait don au Musée du Régiment de la Chaudière quelques années plus tard.

Retour du Queen Mary *dans le port de New York le 20 juin 1945*
Source : US Navy

Retour au Canada

Nous sommes arrivés à New York le 28 décembre 1945. Le Régiment de la Chaudière a dû monter la garde aux alentours du navire pendant que les autres militaires provenant de différents régiments évacuaient le bateau, ce qui a nécessité plusieurs heures. Le lendemain matin, pour nous récompenser de notre travail de la veille, on nous a fait visiter New York en auto-bus, une ville qui m'était tout à fait inconnue. C'était plutôt dépaysant et impressionnant, mais à la fois totalement hors contexte pour moi. En effet, je comptais les heures avant de retourner au bercail; celles qui étaient consacrées aux visites, aux repas et au transport devenaient interminables.

Plus tard le même jour, nous avons pris le train pour nous rendre à la gare du Palais à Québec. Peu de soldats ont réussi à fermer l'œil durant la nuit. La fébrilité était palpable. Nous étions conscients pour la plupart de la chance que nous avions de revoir notre pays. J'aimais imaginer que les moments de silence durant le trajet étaient dédiés à nos frères d'armes dis-parus. Mes compagnons, Hains, Dalcourt, Gauthier et Ti-Pat n'échappaient pas à mes pensées. Les mois qui s'étaient écoulés depuis leur décès me paraissaient des années. Des télégrammes avaient certainement été transmis aux parents pour les informer que leur fils était tombé au front, mais savoir que le Régiment revenait au pays pour de bon sans leur garçon dans ses rangs devait être assez éprouvant pour eux. Je songeais à ces familles.

Le lendemain matin, à la gare du Palais, une parade jusqu'à l'église Saint-Roch a eu lieu pour une célébration grandiose en notre honneur. Je me rappellerai toujours le visage espiègle du major Lapointe qui m'attendait à la sortie de la gare pour me présenter sa femme, dont j'avais proposé de m'occuper s'il décé-dait durant les hostilités. Nous avons bien ri lorsque madame Lapointe s'est exclamée qu'elle n'aurait eu aucun problème à ce que je prenne soin d'elle. Par la suite, le major m'a offert de me conduire à la place George V, au Manège militaire de la Grande-Allée, dans sa voiture Hudson. Je n'ai donc pas pris part à la parade. C'était le 30 décembre 1945. C'était le début de mon retour à ma vie d'avant.

Au Manège militaire, plusieurs familles attendaient. C'était le délire : certains n'en pouvaient plus de retenir leur joie, d'autres, leurs larmes. Un dénommé Turgeon, qui avait pris place sur le *Queen Elizabeth* près de moi, se trouvait à mes côtés lorsque je suis arrivé sur les lieux. Je le connaissais un peu puisque je l'avais côtoyé en Europe. La guerre avait altéré son être et son équilibre psychologique avait été gravement atteint.

Il avait laissé son équipement à Aldershot avant de se rendre au paquebot en nous disant que ce n'était pas son sac. À la suite de la reddition allemande, il nous avait fallu le surveiller constamment. Il délirait, il faisait de l'amnésie et il était indifférent à tout. Les combattants présents devant le Manège militaire avaient tous fait la guerre en plein cœur du conflit et ils avaient tous survécu de corps. Mais d'esprit, Turgeon, comme bien d'autres, ne s'en était jamais remis. Je me suis toujours demandé pourquoi certains soldats s'en sortaient sans séquelles et d'autres, non. L'écart entre perdre la tête complètement et avoir la capacité de poursuivre sa vie sans regarder par-dessus son épaule est bien important et, surtout, bien injuste. Il faut avoir beaucoup souffert pour oublier qui on est.

À la place George V du Manège militaire, lorsqu'est venu le temps aux hommes d'aller rejoindre les leurs, Turgeon n'a malheureusement pas reconnu ses parents. Je me suis permis d'aller leur parler en premier pour leur raconter ce que je savais de son cas. En fait, je n'avais rien de bien concret à leur dire : il avait fait la guerre et, soudainement, il avait perdu toute notion de la réalité. Sa mère s'est mise à pleurer à chaudes larmes. Cette triste image m'a bouleversé ; je pouvais ressentir son désarroi.

Un peu après notre arrivée au Manège militaire, un copieux repas a été servi afin de permettre à tous les soldats de se réunir une dernière fois avant de quitter pour leur demeure respective. Castilloux et Raymond étaient avec moi. J'avais déjà perdu Lacroix de vue depuis notre départ de la gare du Palais. À ce moment, j'avais tellement les pensées dirigées vers mon retour chez moi que je ne ressentais pas encore les effets de cette séparation. Nous mangions en vitesse, sans vraiment prendre le temps d'apprécier le repas. Rien ne pouvait être plus important que notre retour à la maison. J'étais extrêmement impatient d'y être. J'ai appelé mes parents par la suite pour les avertir que j'étais arrivé à Québec. Ils criaient tous dans la maison, à Bromptonville, je l'entendais bien au bout du fil.

Puis, le temps est venu de dire au revoir à mes deux comparses. Peu de mots ont été nécessaires pour nous démontrer notre affection. La connivence des trois mousquetaires, acquise au cours de cette période marquante de nos vies, tirait à sa fin. Nos virées en moto, nos fous rires communs, nos poignées de main réconfortantes et nos regards complices allaient devenir choses du passé. Nous savions que nous serions unis à jamais dans une compréhension commune des conséquences de la guerre sur notre existence, mais il ne nous est pas venu à l'esprit de planifier des retrouvailles. Nous nous sommes longuement étreints et j'ai quitté le Manège militaire, sac sur le dos, regard droit devant.

Retour au bercail

J'ai pris le train du CPR à Québec et je suis arrivé à la gare de Sherbrooke à vingt-deux heures vingt. J'étais le seul militaire à bord. Lorsque le train s'est immobilisé sur les rails, j'ai ressenti une grosse bouffée de chaleur traverser mon corps; ma vie allait enfin reprendre son cours. Mes parents et mes frères les plus vieux étaient là qui m'attendaient. Je pouvais les apercevoir au loin par une des fenêtres, essayant de distinguer mon visage parmi ceux des autres passagers. J'avais le cœur gros. J'ai descendu sur le quai rejoindre ma famille, et c'est monsieur Lemay, un de nos voisins, qui a été le premier à me serrer la main pour me souhaiter un bon retour à la maison.

J'ai déposé le sac contenant tout mon équipement militaire

sur le sol pour me diriger vers ma mère qui criait son excitation de me revoir. Elle m'a serré dans ses bras en remerciant à haute voix tante Alma d'avoir répondu à ses prières. J'étais bouche bée; un mélange d'émotions telles que l'excitation, la joie, la nostalgie et le soulagement m'empêchait d'extérioriser mes pensées et mes larmes. Trois ans et demi s'étaient écoulés depuis ma dernière visite à ma famille. J'avais peine à croire que la vie me permettait d'être à nouveau devant elle après toutes ces années à fuir le danger. Je songeais aux membres de toutes les familles qui n'auraient pas la chance de retrouver leur fils, leur frère, leur neveu, leur petit ami… Je me contentais de regarder ma mère et de sourire.

J'ai ensuite posé mon regard sur mon père. Sans un mot, il m'a serré la main en me tapant sur l'épaule pour me souhaiter la bienvenue. Je voyais bien qu'il était fier de moi. J'ai finalement salué mes frères, visiblement heureux de me revoir sain et sauf. C'est en les voyant que je me suis davantage rendu compte de ma longue absence; ils avaient bien changé et j'avais même du mal à les différencier les uns des autres.

La quiétude commençait déjà à envahir mon corps jusque-là figé par les tensions et la pression qu'exerçait le rôle du militaire sur mes épaules. C'était le retour à la vie pour les membres de ma famille, mais ils avaient beau me regarder droit dans les yeux, ils ne pouvaient y voir ce que je venais de traverser et c'était mieux ainsi. Cette pensée me rendait avare de paroles.

Un gros repas nous attendait à la maison pour fêter mon retour et le Nouvel An 1946. Ma mère avait invité des membres de la famille et des voisins. Seuls mes plus jeunes frères et sœurs étaient au lit. Ma mère avait sorti le service de vaisselle orné d'or quatorze carats qu'elle s'était promis d'utiliser si je revenais vivant de la guerre. J'étais traité comme un roi et j'avais évidemment toute l'attention. Ma mère me regardait constamment, comme si elle attendait que je prenne la parole et que je lui raconte les péripéties qui avaient marqué mes années d'entraînement et de guerre. Elle en a été quitte pour sa déception. J'avais déjà entamé dans ma tête un sevrage de cette guerre et je m'étais résigné à garder mes souvenirs pour moi un bon bout de temps.

Je suis monté me coucher vers trois heures du matin. Ma mère m'avait acheté des couvertures et un matelas neufs. La fatigue avait réussi à prendre le dessus sur les pensées d'après-guerre qui pouvaient encore m'habiter à ce moment. Le lendemain, ma mère est entrée dans ma chambre et m'a surpris assoupi sur le sol. J'étais en effet incapable de dormir sur le matelas. Mon corps s'était accoutumé à l'inconfort des tranchées, des murs de ciment, des lits de camp et des sièges de jeep. Il avait enregistré ces habitudes de sommeil exécrables pendant plus de huit mois et il exigeait une période de réhabilitation avant de pouvoir s'accommoder du confort. Ma mère a redescendu l'escalier et je l'ai entendue dire à mon père : « Germain est peut-être revenu avec tous ses membres, mais il lui manque quelque chose, c'est certain… » Cette habitude a duré quelques jours, mais je me suis tout de même réhabitué au confort de mon matelas.

Quelques jours après mon retour, alors que toute la famille était assise autour de la table, ma mère s'est levée pour prendre la parole. Elle a commencé par mentionner qu'elle avait promis à Dieu de s'imposer certaines actions si je revenais sain et sauf de la guerre. « Maintenant que tu es revenu dans la famille, je dois tenir les promesses que j'ai faites au Seigneur. On va aller à Sainte-Anne-de-Beaupré voir sainte Anne. » Je n'ai pas argumenté. Ma mère avait une foi inébranlable en la mère de la Vierge Marie. Son chapelet s'était sans doute empreint de toutes les prières qu'elle lui avait adressées durant mon absence.

Nous avons pris le train de Bromptonville vers Saint-Anne-de-Beaupré quelques semaines après le début de l'année 1946.

Rendus à destination, nous avons prié sainte Anne. Je regardais ma mère du coin de l'œil; les yeux fermés, elle remuait les lèvres au rythme de ses prières que je pouvais presque entendre. Avant de sortir de la basilique, elle s'est arrêtée devant la porte et m'a informé de l'autre promesse qu'elle avait faite après mon départ pour le front. Elle m'a alors dit qu'elle adopterait une petite fille pour agrandir la famille à douze enfants. J'étais un peu déboussolé. Ma mère avait perdu un enfant, Maurice, alors qu'il avait six mois, et elle souhaitait avoir un autre enfant pour remercier le Seigneur de m'avoir permis de rentrer au bercail. Je n'ai pas tenté de dissuader ma mère, même si je trouvais un peu insensée cette idée d'agrandir la famille. Elle a donc adopté ma sœur Solange en février 1946. Elle avait alors seize mois. Après mon retour, je suis resté à la maison quelques mois au cours desquels j'ai bercé ma petite sœur pendant des heures sans me lasser. Elle était en quelque sorte devenue mon cadeau de bienvenue.

Environ un mois plus tard, j'ai songé à rendre visite aux membres de la famille de Fernand Hains, sans trouver dans l'immédiat le courage de le faire. Cependant, mon appréhension à l'idée de me retrouver devant eux et d'être confronté à leur peine se dissipait avec le temps. J'espérais seulement trouver les bons mots pour sympathiser avec madame Hains. J'avais rencontré sa sœur quelques semaines après être revenu en sol canadien et elle m'avait informé que la famille Hains désirait me voir.

Je me suis donc rendu chez eux, à Bromptonville, et j'ai longuement discuté avec la mère de Fernand. Elle souhaitait visiblement avoir des détails concernant la mort de son fils. Je savais que je devais peser mes mots, car même si un an et demi s'était écoulé depuis le décès de Fernand, je percevais bien sa fragilité dans ses yeux. Je lui ai parlé de son fils, de ses qualités en tant que soldat et de mes moments à Aldershot avec lui. Je lui ai également raconté comment s'était déroulé le Débarquement pour moi et la dernière fois où j'avais vu Fernand, tombé au combat. Elle a versé des larmes, mais tout ce que je lui disais la rendait encore plus fière de son fils et je sentais bien que mon témoignage lui permettait de soulager son cœur de mère. Cette rencontre m'a permis de faire la paix avec moi-même et d'apaiser la culpabilité que j'avais éprouvée en laissant Fernand Hains derrière moi en 1944.

Mon certificat de libération a officiellement été signé le 8 février 1946. J'avais vingt-cinq ans. Jusque-là, j'avais continué de m'afficher en tout temps en habit militaire. L'Armée canadienne m'a donné un certain montant pour que je puisse me débrouiller quelque temps sans avoir à travailler. Honnêtement, j'ai été un peu étonné, même déçu de la somme. J'avais passé près de quatre ans à m'entraîner, à me protéger des balles, à déjouer l'ennemi, à traverser des champs bombardés, à transporter des corps mutilés; j'avais peut-être même manqué les plus belles années de ma vie. Nous avions travaillé pour notre pays et la liberté et, sans prétention, l'ancien combattant que j'étais avait pensé avoir un peu plus pour se remettre sur pied. Je n'étais certainement pas le seul à avoir eu ces pensées. Je n'avais cependant d'autres choix que d'accepter cette récompense dérisoire.

À la suite de ma libération, j'ai longuement songé au petit bout de papier sur lequel était inscrit «Stella Grégoire», que j'avais retrouvé dans la paire de bas qui m'était parvenue en Europe le jour de Noël 1944. Le papier était toujours dans mon portefeuille. Je n'y ai pas touché jusqu'au jour où j'ai décidé d'aller remercier les gens qui m'avaient offert des cadeaux au front, soit maître Ouellet, monsieur Mullins et monsieur Ford. Je n'ai pas tardé non plus à me présenter chez l'homme d'affaires Alphonse Grégoire, le propriétaire du magasin général de Bromptonville. En fait, la femme qui avait inscrit son nom sur le papier, Stella Grégoire, était la fille de cet homme. C'était ma mère qui m'avait dit où la trouver. Mademoiselle Allard, que j'avais fréquentée avant de quitter pour l'entraînement, s'était mariée durant mes années outre-mer; je n'avais donc aucune attache de cœur et cette demoiselle Grégoire avait piqué ma curiosité.

Après avoir remercié monsieur Grégoire pour les cigarettes, je lui ai demandé si Stella était là. Elle a entendu ma question depuis le bureau avoisinant et, quelque peu timide, elle s'est levée pour venir me voir. J'ai retiré mon chapeau et je l'ai remerciée pour les bas de la façon la plus sincère qui soit. Au premier abord, déjà, cette fille me plaisait. Nous n'avons pas eu le temps de discuter, puisque monsieur Grégoire, que je trouvais d'ailleurs fort sympathique, n'en finissait plus de me poser des questions sur mon expérience de guerre. C'était un grand passionné de l'histoire des grandes guerres. De mon côté, mon objectif était plutôt d'écourter la discussion et je répondais à ses questions par des phrases plutôt concises. J'ai quitté le magasin général après une visite de quelques minutes et j'ai été près de deux mois sans reparler à Stella. Mais je n'ai pas été aussi longtemps sans penser à elle. Plus tard, je l'ai jointe à nouveau, car j'avais une sortie et je désirais qu'elle m'accompagne. Pour mon plus grand plaisir, elle a accepté et nous avons continué à nous fréquenter par la suite. Au bout de deux ans, soit en août 1948, nous nous sommes mariés.

Quand les gens ont su que je fréquentais mademoiselle Grégoire, ils ont été très étonnés. On se préoccupait davantage du rang social, à l'époque. Son père avait de l'argent, elle était très instruite contrairement à moi et elle avait été pensionnaire jusqu'à l'âge de vingt-cinq ans. Elle donnait aussi des leçons de musique.

Stella était très catholique. Elle avait été dans une pension religieuse pendant deux ans, mais elle était tombée malade. On

Germain Nault et sa femme Stella Grégoire à leur mariage, 1948
Source : Collection Germain Nault

Germain Nault, 1949
Source : Coll. personnelle de Germain Nault

l'avait donc retirée de la pension. Son système immunitaire était très faible et elle n'était jamais épargnée par les virus. De plus, elle avait subi une opération aux ovaires à l'âge de dix-neuf ans, ce qui l'avait rendue stérile. Dès le début de cette relation, je m'étais fait à l'idée que je n'aurais pas d'enfant. J'agirai toutefois comme tuteur plus tard auprès de trois enfants, dont mon petit frère Edgar. Je paierai pour les faire instruire. Si j'avais eu des enfants, je les aurais poussés à intégrer les rangs de l'armée pour la discipline qu'elle procure. J'ignore cependant si ma femme aurait été en accord avec mon désir. En fait, elle n'était pas fervente de la vie militaire. Je l'entends encore me dire : « T'as pas eu assez de misère au front? Tu voudrais que tes enfants s'enrôlent? » Je lui répondais que l'armée était une école de la vie extraordinaire. De toute façon, nous n'avons pas eu d'enfant. Nous n'avons donc pas eu à nous obstiner bien longtemps.

Retour à la vie civile

Après la guerre, ma vie s'est poursuivie normalement. Mes souvenirs du front s'étaient à jamais logés dans ma tête, mais je n'avais pas fait d'eux les maîtres de mon existence. Je refusais de demeurer prisonnier du passé. Malgré l'immense impact que les hostilités ont eu sur ma vie, je ne revivais pas continuellement les affres de la guerre; je n'étais pas de ceux qui faisaient des cauchemars chaque nuit ou qui vivaient des périodes d'angoisse durant la journée. Je ne me suis jamais affolé lorsque j'entendais des bruits intenses s'apparentant au son des explosions. Je m'en trouve chanceux et je crois que ma force de caractère est pour beaucoup dans cette capacité de résilience.

Je n'ai pas travaillé durant les deux mois qui ont suivi mon retour au Canada afin de me donner la chance de reprendre un rythme de vie proche de la normalité. Par la suite, j'ai obtenu un travail à la *Brompton Pulp & Paper*, mais je ne m'y plaisais pas. J'y suis resté trois mois et j'ai donné ma démission en plein milieu de la nuit. Après, je me suis dirigé vers un emploi de plâtrier qui me donnait des avantages sociaux intéressants et un excellent salaire. Je travaillais d'arrache-pied en faisant environ cent heures par semaine. Je gagnais un dollar l'heure et le patron me payait avec un billet de cent dollars à la fin de la semaine. Durant près de dix ans, j'ai gravi les échelons et j'ai aidé à la construction de gros collèges à Montréal, d'églises, d'un pénitencier et de la cathédrale de Sherbrooke. J'étais reconnu comme un homme assez dur. La guerre m'avait certainement rendu plus exigeant, plus discipliné, plus déterminé et je ne tolérais guère la paresse. Parfois, je voyais des gars qui se lamentaient constamment à la moindre difficulté et les conditions qui avaient prévalu au front revenaient alors à mon esprit. Je ne voulais blâmer personne de ne pas avoir vécu une des pires épreuves de l'histoire militaire, mais j'avais du mal à supporter les petites natures, et ce, bien malgré moi.

Par la suite, j'ai été engagé à la *Gypson Line and Alabastin*, achetée un peu plus tard par *Domtar*. Je n'avais pas les diplômes requis pour répondre aux critères, mais j'ai bien vendu ma salade. Je suis un éternel optimiste et je savais que je pouvais avoir le travail que je désirais si j'étais déterminé. Pour moi, il n'y a jamais de verre à moitié vide ni de porte où on ne peut passer. J'ai donc commencé à travailler dans cette usine en 1958. Puisque cette organisation était anglophone, je devais améliorer mon anglais pour y être à l'aise. Je suis donc allé à l'Université McGill durant deux ans pour y prendre des cours d'anglais. Je suis devenu représentant technique et j'ai travaillé dans un laboratoire où j'effectuais des tests de produits. Je faisais de la promotion et je vendais des produits tels du plâtre, de la brique et de la chaux à des ingénieurs et à des architectes, entre autres. Je devais également donner des cours et des conférences partout à travers le Canada. J'ai dû suivre le cours *Teach the teacher*[19] pour apprendre la pédagogie.

---

19. Cours donné à des formateurs pour leur transmettre des méthodes d'enseignement.

Après la guerre, je souhaitais étudier pour devenir architecte ou ingénieur, mais je n'avais pas l'argent nécessaire pour satisfaire cette ambition. J'ai tout de même travaillé dans ce domaine toute ma vie et j'y ai assumé des responsabilités importantes, dans de bonnes conditions. Finalement, j'ai été à l'emploi de *Domtar* pendant vingt-six ans.

Durant ces années, les contacts avec mes frères d'armes ont été plutôt rares. J'ai revu à quelques reprises le major Lapointe qui était devenu lieutenant-gouverneur du Québec. Castilloux, Saint-Hilaire et Lacroix n'ont malheureusement jamais recroisé mon chemin. J'avais eu des pensées pour eux presque tous les jours dans les mois qui avaient suivi mon retour, mais étrangement, je m'étais détaché de ce besoin de les revoir à tout prix. Je ne pouvais certainement pas oublier, mais j'étais maintenant en mesure de bien vivre sans ces amitiés développées au cours des années sombres de la guerre. J'avais offert ma loyauté à mes frères d'armes au front, mais, de retour au bercail, je désirais reprendre les rênes de ma vie avec des gens qui n'avaient pas constamment en tête les mêmes images que moi. Concernant Raymond, je ne l'ai revu qu'une seule fois. Il était venu dans la région pour son travail et je l'ai croisé dans un pub à Sherbrooke. Il semblait heureux de me voir. Nous avons pris le temps de discuter, histoire de nous informer un peu sur nos cheminements respectifs après la guerre. Raymond travaillait dans l'industrie du bois quelques mois par année. Il faisait un bon salaire, mais, selon ce qu'il m'a raconté, il ne semblait pas avoir eu un retour à la vie civile aussi facile que moi. J'ai compris qu'il n'avait pas eu le soutien nécessaire pour revenir à une réalité sécurisante. Je ne l'ai jamais revu après cette soirée.

L'après-retraite

À ma retraite au début des années 1980, j'ai décidé de privilégier les loisirs avec ma femme. J'ai occupé mon temps à la pratique intensive de sports, que j'avais déjà entamée dans les années 1950. En effet, j'avais notamment joué au curling lorsque j'habitais à Montréal et j'avais été promu champion de la province de Québec en 1963. Cependant, c'est certainement le golf que j'ai apprécié le plus comme loisir. C'est en 1955 que j'ai véritablement commencé à jouer. Je devais participer à des parties de golf pour la compagnie dans différentes provinces canadiennes. Je jouais dans des tournois d'ingénieurs ou d'architectes plusieurs fois par année. J'ai même eu la chance de jouer avec Maurice et Henri Richard, deux grands héros du hockey. Aussi, durant la saison de forte activité, lorsque je finissais de travailler, malgré la noirceur, j'allais au club frapper des seaux de balles. De 1955 à 1980, je n'ai manqué qu'une année de golf, l'année 1979, celle où j'ai été victime d'une crise cardiaque.

Lorsque je suis revenu de l'armée, je fumais environ huit paquets de cigarettes par semaine et je n'avais jamais arrêté. Cette mauvaise habitude a certainement eu une grosse part de responsabilité dans mes problèmes de cœur. Après ce malaise, je n'ai plus jamais rallumé une cigarette. Il avait fallu cette épreuve pour que je prenne véritablement conscience que cette mauvaise habitude me tuait à petit feu. Je n'avais pas la maîtrise de mon sort lorsque j'étais au front, mais, à présent je me trouvais bien insensé de risquer ma vie pour une manie qui ne dépendait que de moi.

J'ai recouvré la santé par la suite et j'ai poursuivi la pratique du golf de 1980 à 1996. J'allais en Floride six mois par année pour y jouer quelque six fois par semaine. Ma femme et moi avions un condo à Daytona Beach. Le golf, c'était plus qu'une passion pour moi, c'était nécessaire. Être sur le vert, entouré d'un paysage reposant sous un soleil de plomb, à ne penser qu'à la trajectoire que ma balle devrait prendre, c'était le ciel. Ces moments, je les privilégiais pour évacuer le stress vécu au cours des années précédentes où j'avais dû affronter le danger, le travail exigeant et les problèmes de santé.

Le 1er décembre 1998, j'ai eu la douleur de perdre ma femme. Stella avait dû se rendre à l'hôpital pour une jaunisse le 8 septembre et, après l'avoir examinée, le médecin lui a dit qu'elle devait consulter d'urgence et passer des tests. Il a ajouté : « Madame Grégoire, je n'aime pas ce que je vois. » Il n'en fallait pas plus pour nous inquiéter et nous faire songer à une maladie impitoyable. Stella s'est donc rendue à l'Hôtel-Dieu de Sherbrooke et y a passé toute la journée. Vers dix-huit heures, on nous a annoncé qu'elle allait être hospitalisée et qu'une chambre lui avait été assignée quelques étages plus haut. Un cancer avait été diagnostiqué.

Après vingt-neuf jours à l'hôpital, ma femme a demandé à revenir à la maison où elle a passé vingt-huit jours avant d'être admise à la Maison Aube-Lumière en novembre 1998, pour y vivre ses derniers moments.

Je venais de perdre ma complice, la compagne de toutes mes activités. Son nom avait parcouru l'Atlantique pour venir me rejoindre sur le champ de bataille en 1944... La guerre n'aurait pas suffi à m'immuniser contre la mort d'un proche.

J'ai visité plusieurs pays d'Europe quelques années après la mort de ma femme. J'ai eu la chance de parcourir une partie du territoire européen avec Pauline, ma compagne des dernières années. Il s'agissait de voyages principalement organisés à l'intention des anciens combattants, pour leur permettre de revisiter les lieux où ils avaient combattu, se recueillir sur les tombes des militaires morts au combat ou assister à des événements commémoratifs. Par exemple, pour sa participation à la libération de la capitale normande, le Régiment de la Chaudière a reçu la gratitude et l'estime de la population de Caen lors d'une cérémonie commémorative qui a lieu chaque année le 9 juillet, au cœur même de cette ville normande. J'y suis allé en 2006 déposer une corbeille de fleurs pour témoigner des cinquante-trois frères d'armes décédés et des cent vingt-trois blessés du Régiment lors des batailles de Carpiquet et de Caen. J'étais fier de participer à cet hommage à mes amis dans une Europe sans affrontements et sans ruines. Près de soixante ans après les hostilités, j'étais dorénavant prêt à revenir dans le passé pour leur rendre toute la considération qu'ils méritent aujourd'hui.

Devant la stèle de Fernand Hains, voyage en Europe, Bény-sur-Mer, 2000
Source : Collection Germain Nault

Monument du Régiment de la Chaudière à Bernières-sur-Mer
Photo : Ignacio Balassanian. Source : Panoramio

Mon « *devoir de mémoire* »

Lorsqu'on a commencé à commémorer davantage le Débarquement de Normandie, j'ai été approché par l'Institut du Dominion pour participer au Projet mémoire. Il s'agit en fait d'un « programme éducatif consacré à la transmission de la mémoire et destiné à faire prendre conscience aux élèves de la nature des sacrifices consentis par les hommes et les femmes des Forces canadiennes en temps de guerre comme en temps de paix[20]. » Nous étions plusieurs anciens combattants à participer à ce projet. J'ai donc offert mon témoignage et des photos qui ont été rendus accessibles à tous via Internet. J'ai toujours affirmé que je ne racontais pas la guerre, mais bien mon passage dans cette guerre, mon combat, mon histoire à moi. Vers les

---

20. Institut Historica-Dominion. *Projet Mémoire*, 2012,
    www.leprojetmemoire2.com

années 2000, j'ai accepté de prononcer des conférences dans les écoles, mais j'ai cessé après deux ans, car je n'étais plus en mesure de me tenir debout assez longtemps, en raison de mes maux de dos. C'est durant ces deux années que mes souvenirs concernant la petite fille que j'avais libérée dans les ruines de Carpiquet sont devenus plus nets. Les élèves me posaient beaucoup de questions sur cet événement marquant, ce qui a ravivé bien des émotions en moi. Le visage d'une enfant stigmatisé par la douleur refaisait surface dans ma tête. J'avais encore un serrement au cœur chaque fois que je repensais au moment où mon ami Brisebois et moi l'avions trouvée dans une garde-robe. J'éprouverai toujours de l'indignation en repensant à ce que cette enfant a vécu durant cette guerre affreuse. J'ai tellement souhaité la revoir par la suite pour savoir ce qu'elle était devenue! Je me demandais si elle se serait souvenue de moi. Il y a quelques années, j'ai pris soin d'envoyer des messages en France à l'hôtel de ville de Bernières-sur-Mer et à celle de Carpiquet. La mairesse de Carpiquet a fait des démarches pour m'aider à retrouver la petite fille, mais sans succès. Je suis resté attaché à une enfant que je ne connaissais pas. Elle aurait peut-être soixante-quinze ans aujourd'hui.

J'ai donné des dizaines et des dizaines d'entrevues et on m'a souvent demandé d'expliquer en termes plus concrets et plus visuels ce que j'avais vécu en Europe, c'est-à-dire d'utiliser les sens pour décrire la véritable atmosphère au front. Il m'est impossible de relater mes souvenirs de façon à ce que mon auditoire puisse ressentir réellement le climat de guerre en 1944. Je me souviens des odeurs, des bruits, des maux ressentis ou des images qu'on veut oublier, mais j'ai toujours cru qu'on ne vivait la guerre qu'en étant sur le champ de bataille.

J'ai côtoyé la mort quotidiennement pendant plusieurs mois. J'ai beau tenter de vulgariser les sensations que j'ai éprouvées, je ne peux en exprimer la profondeur et l'intensité, comme je ne puis faire ressentir à quiconque comment nos perceptions de l'espace et du temps nous trompaient. Nous passions parfois par les champs pour nous rendre d'une destination à une autre, de sorte que même les distances entre les villes nous échappaient. J'ai vécu la guerre et je la vois, je la sens. Lorsque je l'explique aux gens, je pense qu'ils la visualisent également, mais il en va tout autrement. Nous avons réalisé des simulations de guerre pendant plusieurs années à Valcartier et en Angleterre, mais nous n'avions rien compris de la véritable guerre. Comment pourrait-on la faire vivre à quelqu'un par la seule vertu de la conversation?

Germain Nault et une élève lors d'une conférence
au Collège du Sacré-Cœur de Sherbrooke, 2003
Photo : *La Tribune*

J'ai toujours répondu aux questions des gens intéressés par mon expérience du front. Toutefois, je n'ai jamais accepté de partager explicitement mes souvenirs des horribles gestes dont j'ai eu connaissance au front. Cela n'aurait provoqué que de la haine. J'ai toujours cru que de parler de ces horreurs n'apportait rien à personne, si ce n'est cette curieuse excitation devant la barbarie humaine. En tant que militaires combattant jour après jour et ayant des objectifs bien précis en tête, nous avons tenté de fermer les yeux sur les atrocités : des soldats ou des gens du peuple agonisants, mutilés, torturés, violés, dépouillés de toute considération humaine. Si nous nous étions arrêtés à pleurer toute cette cruauté, nous n'aurions probablement jamais passé à travers. Mais, entre nous, nous savions bien qu'il nous était impossible en tant qu'humains sensés et conscients de taire à jamais ces images affligeantes. Comme on nous disait, la guerre, c'est la guerre, et nous devions imprimer cet adage dans notre esprit. Le seul jour du 6 juin 1944, nous avons essuyé la perte de près de cent compagnons d'armes… et nous avons dû poursuivre notre route.

Tous les vétérans ayant combattu lors de la Seconde Guerre mondiale ont été honorés pour leur dévouement et leur engagement par des médailles de guerre, les médailles du gouvernement ainsi que celles qui nous ont été décernées par les villes et pays libérés. On dénombre parmi ces médailles l'Étoile de 1939-1944, la Médaille de la Bataille de Grande-Bretagne, l'Étoile France-Allemagne, la Médaille de la Défense : actes de courage service civil, la Médaille canadienne du Volontaire et la Médaille de la Guerre 1939-1945. Il y a également les médailles commémoratives, qui honorent les batailles que nous avons livrées, telles que le Débarquement du 6 juin 1944, L'Enfer de Carpiquet 1944, Merci Canada Hollande-Pays-Bas, Mémorial de Caen cinquante-cinquième anniversaire du débarquement 1944, ainsi que la médaille du soixantième anniversaire Normandie 2004. On m'a également remis la Médaille de l'Assemblée nationale du Québec en avril 2011, médaille offerte par la province en guise de reconnaissance. Ce fut tout un honneur pour moi d'avoir été recommandé par monsieur Gervais Lajoie, lieutenant-colonel à la retraite du Régiment de la Chaudière, pour l'obtention de cette décoration.

En trente ans, je n'ai manqué qu'une seule réunion des membres de l'Amicale du Régiment de la Chaudière, qui a lieu la première fin de semaine de juin à Lévis. En 2010, nous étions seulement onze. Il y a certainement plus d'anciens confrères du Régiment en vie en ce début de décennie, mais la plupart sont malades ou à l'aube de leur dernier souffle dans des maisons de dernier repos. Mes amis comme Castilloux, Raymond, Lacroix et Saint-Hilaire ne se sont jamais présentés à ces réunions. Le travail, la distance ainsi que les moyens financiers sont sans doute des raisons qui expliquent leur absence, comme pour bien d'autres, j'imagine.

Parmi mes autres frères d'armes qui ont participé aux rencontres durant les dernières années, je constate chez certains toute la douleur qu'ils éprouvent encore aujourd'hui. J'ai vu des larmes couler sur leurs joues durant les cérémonies de commémoration. Je comprends vite en observant leur regard brouillé qu'il y a encore beaucoup d'images qui défilent dans leur tête et qui leur rappellent de pénibles souvenirs. J'ai beaucoup de sympathie pour ces anciens combattants qui ont eu de la difficulté à refaire leur vie une fois démobilisés. Aujourd'hui, de plus en plus de compagnons d'armes ayant écrit l'histoire disparaissent jour après jour. C'est pour cette raison qu'il faut se souvenir.

Épilogue

Pour tous ces hommes... souvenez-vous

Plus d'un million de Canadiens, hommes et femmes, sur une population de douze millions à l'époque, ont uni leurs forces, leurs habiletés, leur courage et leur dévouement durant la Seconde Guerre mondiale. Près de quarante-deux mille militaires canadiens ont perdu la vie au combat et cinquante-quatre mille quatre cents furent blessés. Maintenant, comme il est écrit sur les murs de la Salle du Souvenir du Musée de la guerre à Ottawa, je vous demande ceci : *Accordez-vous une pause et réfléchissez à l'engagement des milliers de Canadiens et Canadiennes en temps de guerre et de paix et aux sacrifices auxquels ils ont consenti.* Pour tous les artisans de la paix et de la liberté qui ont collaboré dans les multiples batailles de ce monde, accordez-vous cette pause.

*

Trop souvent, les estafettes comme moi ont été oubliées. Nous étions les cinglés qui cavalaient dans la nuit. Ce témoignage a été rédigé pour faire connaître cette fonction fort périlleuse qui mérite d'être honorée; pour les anciens combattants du Régiment de la Chaudière, reconnus comme ayant fait partie des meilleurs soldats au monde; pour mes frères d'armes qui ne sont plus et leurs familles qui se souviennent; pour les soldats en devenir qui oublient parfois les fondements de leur rôle et de leur engagement; pour l'homme inconscient qui démontre de l'indifférence par rapport au passé qui a façonné le présent; pour les curieux, respectueux de cet effort de guerre; pour les Canadiens français, fiers et conscients de la portée de leurs actions. Mon histoire n'est qu'un grain de sable dans la commémoration du travail acharné qu'a exigé la guerre 1939-1945, mais elle apporte ma contribution à notre devoir de mémoire.

Je suis Germain Nault et je fais partie de la génération des bâtisseurs 1920-1945, période de la Grande Dépression et de la Seconde Guerre mondiale. Je remercie mon destin de m'avoir assigné ce parcours et de m'avoir permis de connaître les célébrations qui ont reconnu le courage de mes pairs. J'ai survécu au Débarquement et le destin fut mon allié dans cette bataille pour la vie. Je quitterai cette terre la tête haute, sans regret et fier d'avoir participé à un effort de paix et de liberté.

Germain Nault, mai 2012
Photo: Clément Nault

Table des matières

Remerciements

Nous tenons à remercier plusieurs personnes qui ont collaboré de près ou de loin à notre projet d'écriture au cours des dernières années.

Merci à monsieur Sébastien Vincent, auteur, historien, enseignant, fondateur et éditeur du site *Le Québec et les guerres mondiales*, qui a accepté de nous guider tout au long de la rédaction du témoignage de notre grand-oncle et qui a contribué à la révision du livre. Dès le début, il nous a donné des conseils concernant la méthodologie d'écriture et ses livres *Laissés dans l'ombre* et *Ils ont écrit la guerre*, parus chez VLB Éditeur, nous ont grandement inspirées.

Merci à monsieur Pierre Vennat, ancien journaliste à *La Presse*, historien régimentaire aux Fusiliers Mont-Royal et auteur des livres *Les Héros oubliés* et *Dieppe n'aurait pas dû avoir lieu*. Monsieur Vennat est un spécialiste de l'histoire militaire canadienne-française et un passionné du sujet. Il a généreusement accepté de contrôler l'authenticité des aspects liés aux opérations militaires.

Merci à monsieur Gervais Lajoie, lieutenant-colonel à la retraite du Régiment de la Chaudière et coauteur du livre *Madeleine Ferron, l'insoumise – Trois perspectives*, pour son soutien. Monsieur Lajoie, qui connaît depuis quelques années notre grand-oncle à travers des événements commémoratifs, nous a fait l'honneur d'écrire la préface. Il a par ailleurs réalisé une première révision du manuscrit.

Un merci particulier à ces trois experts qui ont cru en notre projet et qui y ont consacré du temps malgré leur horaire chargé, et ce, bénévolement. Leur générosité et leurs connaissances approfondies du domaine militaire et de l'édition nous ont permis de mener à terme l'un des plus grands projets de notre vie, soit celui de rendre hommage à un ancien combattant près de soixante-dix ans après la fin du conflit historique où il s'est illustré. Merci du fond du cœur.

Merci à toute l'équipe des Éditions JCL pour son professionnalisme et pour la chance qu'elle nous a offerte en tant qu'apprenties auteures de diffuser cet hommage. Merci pour ses bons conseils, pour son aide précieuse dans le parachèvement du livre et pour sa foi en sa mission. Dès la première lecture de notre manuscrit, elle a saisi ce qu'il représentait en tant qu'objet de commémoration et, pour cela, nous lui en sommes très reconnaissantes.

*

Merci à notre famille, plus spécifiquement à nos parents, Denis et Guylaine, pour leur soutien et leurs encouragements, et à Daniel, conjoint de Marilou, pour sa patience et sa compréhension. Merci à notre grande sœur Julie et à notre beau-frère Dominic pour leur critique constructive.

Merci à la famille Nault: à notre grand-mère Rachel pour nous avoir encouragées à réaliser ce projet; à notre grand-oncle Clément pour ses talents de photographe et pour ses ressources qui ont permis de faire connaître notre projet dans la région; à notre grand-oncle Edgar pour son aide dans la validation de certains passages du livre.

Merci à Cynthia pour sa capacité de synthèse et sa passion de la lecture.

Merci à nos amis pour leurs encouragements et leur compréhension devant nos soirées consacrées à la recherche et à la rédaction.

Tableau des sigles et acronymes

CPR   *Canadian Pacific Railway*

DM   *Driver Mechanic*

LCA   *Landing Craft Assault*

LSI   *Landing Ship Infantry*

LCT   *Landing Craft Tank*

MM   *Motors Mechanic*

RAF   *Royal Air Force*

Bibliographie

ALDERSHOT MILITARY MUSEUM. *Development of "the camp at Aldershott"*. URL: http://www3.hants.gov.uk/museum/ aldershot-museum/local-history-aldershot/aldershott.htm (page consultée le 4 août 2011).

BIBLIOTHÈQUE ET ARCHIVES CANADA. *Naufrages*, URL: http://www.collectionscanada.gc.ca (page consultée le 5 septembre 2011).

BROSSAT, Alain. *Les tondues – Un carnaval moche*, Levallois-Perret, Éditions Manya, 1992, 313 p.

CANADIEN PACIFIQUE. *Survol historique : Effort de guerre*, URL: www.cpr.ca (page consultée le 5 septembre 2011).

CASTONGUAY, Jacques, Armand Ross et Michel L'Italien. *Le Régiment de la Chaudière 1869-2004*, Lévis, Régiment de la Chaudière, 2005, 729 p.

CENTRE JUNO BEACH. *Le Canada en guerre*, URL: http://www.junobeach.org/main_french.html (page consultée le 30 août 2011)

DÉFENSE NATIONALE. *Les Fusiliers de Sherbrooke*, URL: http:// www.army.gc.ca/fr/index.page? (site à consulter).

DÉFENSE NATIONALE. *Marine royale canadienne*, URL: http:// www.navy-marine.forces.gc.ca/fr/index.page? (site à consulter).

INSTITUT HISTORICA-DOMINION. *Projet Mémoire*, URL: http://www.leprojetmemoire.com (page consultée le 5 mars 2011).

LAURENCEAU, Marc. *La Bataille de Normandie*. URL: www.dday-overlord.com (page consultée le 5 octobre 2011).

LAURENDEAU, André. *La Crise de la conscription*, Montréal, Éditions du Jour, 1962, 158 pages.

LEPAGE, Jean-Denis, *La HitlerJugend 1922-1945*, Paris, Éditions Jacques Grancher, 2004, 238 p.

MCANDREW, Bill *et al. Normandie 1944 – L'Été canadien*, Montréal, Éditions Art Global, 1994, 162 p.

VENNAT, Pierre. *Les Héros oubliés – Du «Jour J» à la démobilisation*, Éditions du Méridien, Tome III, Montréal, 1998, 548 p.

VINCENT, Sébastien. *Laissés dans l'ombre*, Montréal, VLB Éditeur, 2004, 288 pages.

VINCENT, Sébastien. *Ils ont écrit la guerre*, Montréal, VLB Éditeur, 2010, 320 pages.

WIKIPÉDIA. *Bataille de Caen*, URL: http://fr.wikipedia.org/wiki/Bataille_de_Caen (page consultée le 6 avril 2011).

DISTRIBUTEURS EXCLUSIFS

Distributeur pour le Canada et les États-Unis
LES MESSAGERIES ADP
MONTRÉAL (Canada)
Téléphone : (450) 640-1234 ou 1 800 771-3022
Télécopieur : (450) 640-1251 ou 1 800 603-0433
www.messageries-adp.com

Distributeur pour la France et autres pays européens
DISTRIBUTION DU NOUVEAU MONDE (DNM)
PARIS (France)
Téléphone : 01 43 54 49 02
Télécopieur : 01 43 54 39 15
Courriel : libraires@librairieduquebec.fr

Distributeur pour la Suisse
(À l'usage exclusif des librairies)
SERVIDIS / TRANSAT
GENÈVE (Suisse)
Téléphone : 022/342 77 40
Télécopieur : 022/343 46 46
Courriel : transat-diff@slatkine.com

Dépôts légaux
Bibliothèque nationale du Canada
Bibliothèque et Archives nationales du Québec, 2012
Imprimé au Canada

◆◆◆